総合判例研究叢書

民　法(23)

遺　留　分……………………………高木多喜男

有　斐　閣

民法・編集委員

谷口知平
有泉亨

序

フランスにおいて、自由法学の名とともに判例の研究が異常な発達を遂げているのは、その民法典が百五十余年の齢を重ねたからだといわれている。それに比較すると、わが国の諸法典は、まだ若い。最も古いものでも、六、七十年の年月を経たに過ぎない。しかし、わが国の諸法典は、いずれも、近代的法制を全く知らなかつたところに輸入されたものである。そのことを思えば、この六十年の間に極めて重要な判例の変遷があつたであろうことは、容易に想像がつく。事実、わが国の諸法典は、それに関連する判例の研究でこれを補充しなければ、その正確な意味を理解し得ないようになつている。

判例が法源であるかどうかの理論については、今日なお議論の余地があろう。しかし、実際問題として、多くの条項が判例によつてその具体的な意義を明かにされているばかりでなく、判例によつて特殊の制度が創造されている例も、決して少くはない。判例研究の重要なことについては、何人も異議のないことであろう。

判例の創造した特殊の制度の内容を明かにするためにはもちろんのこと、判例によつて明かにされた条項の意義を探るためにも、判例の総合的な研究が必要である。同一の事項についてのすべての判決を探り、取り扱われた事実の微妙な差異に注意しながら、総合的・発展的に研究するのでなければ、判例の研究は、決して終局の目的を達することはできない。そしてそれには、時間をかけた克明な努力を必要とする。

幸なことには、わが国でも、十数年来、そうした研究の必要が感じられ、優れた成果も少くないようになった。いまや、この成果を集め、足らざるを補ない、欠けたるを充たし、全分野にわたる研究を完成すべき時期に際会している。

かようにして、われわれは、全国の学者を動員し、すでに優れた研究のできているものについては、その補訂を乞い、まだ研究の尽されていないものについては、新たに適任者にお願いして、ここに「総合判例研究叢書」を編むことにした。第一回に発表したものは、各法域に亙る重要な問題のうち、研究成果の比較的早くでき上ると予想されるものである。これに洩れた事項でさらに重要なもののあることは、われわれもよく知つている。やがて、第二回、第三回と編集を継続して、完全な総合判例法の完成を期するつもりである。ここに、編集に当つての所信を述べ、協力される諸学者に深甚の謝意を表するとともに、同学の士の援助を願う次第である。

昭和三十一年五月

編集代表
小野清一郎　宮沢俊義
末川博　我妻栄
中川善之助

凡例

一 判例の重要なものについては、判旨、事実、上告論旨等を引用し、各件毎に一連番号を附した。

二 判例年月日、巻数、頁数等を示すには、おおむね左の略号を用いた。

大判大五・一一・八民録二二・二〇七七 （大審院判決録）

（大正五年十一月八日、大審院判決、大審院民事判決録二十二輯二〇七七頁）

大判大一四・四・二三刑集四・二六二 （大審院判例集）

最判昭二二・一二・一五刑集一・一・八〇 （最高裁判所判例集）

（昭和二十二年十二月十五日、最高裁判所判決、最高裁判所刑事判例集一巻一号八〇頁）

大判昭二・一二・六新聞二七九一・一五 （法律新聞）

大判昭三・九・二〇評論一八民法五七五 （法律評論）

大判四・五・二二裁判例三・刑法五五 （大審院裁判例）

福岡高判昭二六・一二・一四刑集四・一四・二一一四 （高等裁判所判例集）

大阪高判昭二八・七・四下級民集四・七・九七一 （下級裁判所民事裁判例集）

最判昭二八・二・二〇行政例集四・二・二三一 （行政事件裁判例集）

名古屋高判昭二五・五・八特一〇・七〇 （高等裁判所刑事判決特報）

東京高判昭三〇・一〇・二四東京高時報六・二・民二四九 （東京高等裁判所判決時報）

札幌高決昭二九・七・二三高裁特報一・二・七一 （高等裁判所刑事裁判特報）

前橋地決昭三〇・六・三〇労民集六・四・三八九　　（労働関係民事裁判例集）

その他に、例えば次のような略語を用いた。

裁判所時報＝裁　時　　家庭裁判所月報＝家裁月報

判例時報＝判　時　　判例タイムズ＝判　タ

目 次

遺留分

高木多喜男

一 序説 ……三

一 遺留分制度の構造(三) 二 遺留分の意義(一六) 三 遺留分の対象(一八)

二 遺留分権利者と遺留分権 ……一九

一 遺留分権利者(一九) 二 遺留分権(利)(三一)

三 遺留分の算定 ……三七

一 総説(三七) 二 遺留分の割合額の計算(三八) 三 遺留分算定の基礎となる財産(四〇) 四 遺留分権利者に遺贈・贈与がなされている場合(九八) 五 基礎財産額ゼロないし債務超過のときの遺留分・自由分の算定方法(九九)

四 遺留分の保全 ……一〇一

一 遺留分侵害行為の効力(一〇一) 二 遺留分減殺請求権(一一三) 三 減殺請求の効力(一四九) 四 減殺請求権の時効(一六六)

判例索引

遺留分

高木多喜男

はしがき

遺留分に関する裁判例は比較的少ない。しかも、その大部分は、旧法時代のものである。もつとも、現行遺留分制度の仕組みは、旧法上のそれが、そのまま維持されており、旧法時代の判例が、その意義を失つているわけではない。しかし、制度の基礎にある考え方には、大きな変化があるわけであり、判例の上にも、その影響がみられる。本稿では、この点に留意しつつ、大審院時代の判例をも含め、分析の対象とした。

なお、新法下の新しい問題が、二・三の遺産分割審判の中に含まれていることに注目した。新法下にあつては、遺留分問題は家督相続(遺産相続に関する裁判例は稀である)におけるように、相続人と第三者の間のものだけでなしに、遺留分権利者の一人に無償処分がなされその結果、彼等の間に複雑な減殺の問題が生ずる。これらは、遺産分割の前提問題として遺産分割の審判の中に現われている。これら審判は、従来の単独相続を前提として形成されてきた遺留分理論に、反省を求める新しい考え方を採用しており、この点に特に注目した。もつとも、表面にでているのは、まだ氷山の一角であり、多くの問題が残されているが今後のこととした。

なお、本叢書の目的からそれるが、序論として、制度の構造について述べた。細かい解釈論に入る前に、全体を鳥瞰することが、意味あることと思つたからである。さらには、判例のない部分も、体系的にバランスが崩れないように、学説で埋めた。遺留分に関する解釈論が、比較的等閑視されてきたことを考えると、何らかの意味があらうと思う。

一　序説

一　遺留分制度の構造

被相続人に完全な遺産処分の自由を認めず、家族に何らかの方法でその一部分を保障する遺留分制度は、各国法制においてみられるが、その保障の具体的な手段は、各国の相続法全体の構成とも関連して、いろいろとあり、しかも、遺留分についての具体的な問題の解決の仕方にあたつてもかなり顕著な差をもたらしている。したがつて、判例の分析にはいる前に、日本遺留分制度の構造を述べ、解釈論にたいする序説としたい。

周知のごとく、大陸法上の遺留分制度には、ローマ法の流れを汲むものと、いわゆるゲルマン法の系統に属するものとがある。まず、比較法的に（前者としてはドイツ法を、後者としてはフランス法・スイス法を代表として）両型の遺留分制度構造の特色を見だし、ついで、その上にたつて、わが遺留分制度の構造を明らかにすることが有効であると思われる（なお、本稿の準備の一つとして「遺留分権利者の法的地位」（神法一二巻四号四一九頁以下）を書いたが、詳細は、その四二四頁以下参照）。

（一）　両型遺留分制度の構造上の相違を決定づけている相続法体系上の要因　　両型遺留分制度の根本的相違点は、ゲルマン型（いわゆるゲルマン法の系譜をひくものをゲルマン型、ローマ法の系譜に属するものをローマ型と便宜上名づけておくこととする）では、遺留分権利者は相続人であり、相続人としての地位（資格）において、遺留分の保護がある（遺留分が相続分の一部とされるゆえん）のに対し、ローマ型にあつては、遺産債権者であり、この地位において、遺留分の保護を受けるという点にある。ところで、この構成上の相違は次のような相続法体系の根本的相違と有機的に関連している（Vgl. Boehmer. Zur

Reform des Pflichtteilsrechts, Archiv für die civilistische Praxis, 1938, S. 42ff. 槇悌次「遺留分の減殺請求」家族法大系Ⅶ相続(2)二八一頁以下）。

前者を代表するフランス法・スイス法（なお、記述的なことの引用は、高木「遺留分権利者の法的地位」にゆずる）では、法定相続人は、被相続人の恣意から法定相続人の地位（法定相続権）そのものが保護されている。まず、フランス相続法では、法定相続一本である。ただ、被相続人の終意処分として、包括遺贈（legs universel）・包括名義遺贈（legs à titre universel）が許され、相続人の指定制度に類似した機能を果している。しかし、あくまでも、相続人としての地位は与えられず、遺産占有（相続財産の管理）の面で、法定相続人と差別されている（フ民一〇〇六参照）。そして、推定法定相続人は包括遺贈等がある場合でも、相続人として地位を取得する。法定相続人のみが、唯一の相続人である。スイス相続法は、相続人の指定制度を設けている。しかし、相続人の指定は、自由分の範囲内においてのみ許され、法定相続人と遺言相続人が並存する（ス民四八一Ⅱ参照もつとも、法律上当然にではなくて、減殺訴権の行使によつて）。次に、廃除についてであるが、フランスでは、制度そのものが存在せず、スイスにあつては、無制限的に許されず、一定の法定原因の制約がある（ス民四七七、日民八九二参照）。このように、推定法定相続人には、法定相続権の保障が存し、遺留分権はこの法定相続権の実質的裏づけである。すなわち、ここでは、遺留分制度はもつぱら、法定相続人の実質的保護のための制度である。ゆえに、遺留分権利者は常に、相続人であり、遺留分権は、相続人の資格において持つ権利であり、相続権としての性格をもつ。遺留分が、相続分の一部であるとか、相続財産の一部（pars here ditatis）とされるゆえんである。それに対して、ローマ型遺留分制度を採用するドイツ民法にあつては、相続人の指定が許されており（ド民一九三七・一九四一）、しかも、相続人の指定あるときは、推定法定相続人は、相続人としての資格を取得し得ず、指定相続人のみが唯一の相続人である。その反面として、当然に無制約的な廃除も許されている（ド民一九三八）。したがつて、ここでは、被相続人の恣意からの、法定相続人の地位の保障は存在しない。ただ、推定法定相続人には、その代償として、一定財産額（pars bonorum）が遺留分として与えられているのみである。遺留分権利者は、相続人としての資格においてでなく、被相続人に対する近親としての資格において、指定相続人あるいは、次順位相続人に対して、法定相続分の代償を求めることが出来るとされているのである。ここでは、遺留分権は、相続権的な相続財産上の権利ではない。相続人に対する債権（一種の遺産債権）にしか過ぎない。相手方（相続人）からみれば、相続財産上に一種の負担を、すなわち、遺産債務を負担しているのである。

（二）　両型遺留分制度の構造上の相違点　次に以上のごとき、相続秩序の相違によつて決定づけられている構造上の相違について述べていくこととする。

(1)　ゲルマン型遺留分制度にあつては、法定相続人は、相続人の資格において遺留分を有するのであり、したがつて、法定相続権が遺留分権の基礎であり、遺留分権は、法定相続権と切り離せない関係にある。法定相続権の喪失は、遺留分権のそれをもたらす。これに対して、ローマ型遺留分制度にあつては、このような不可分的な関係はない。

（イ）　決定的な相違点がみられるのは、被相続人の意思で法定相続権を剝奪する制度（相続人の指定・廃除）との関係である。ゲルマン型にあつては、遺留分権をも失わしめるのに対し、ローマ型では逆である。前者を採用する法制では、前述したごとく、法定相続権そのものの保護がはかられている。ゆえに、原則的にはかかる効力をもつ制度を認めない（スイス法では、相続人の指定制度が存在するが、かかる効力を持たないことは前述した）。それだけに、もし、法定相続権の剝奪が認められる場合（法定の廃除原因のあるとき、ス民四七七参照）には、完全に、相続から排除され、どのような関与も認められない。遺留分権も、当然に失う。それに対し、ローマ型を採用する法制では、被相続人は自由に相続人を創ることができ、何らの制約もない。遺留分権は、法定相続から閉め出された推定法定相続人の保護のための制度である。遺留分権を失わしめるものでない。むしろ、かような場合に、推定法定相続人を保護するのが、遺留分制度なのである。ゆえに、遺留分権は、原則として、相続人の地位を奪われた一定近親の権利としての姿をとるわけである（それ故に、ここでは、ゲルマン型法制での廃除原因が存在するような場合には、廃除とは別に、遺留分剝奪制度を設けているド民二三三三以下参照）。

（ロ）　しかし、それ以外の原因による法定相続権の喪失（欠格・相続の放棄・相続放棄契約等）は、両型ともに、遺留分権を失わしめる（ローマ型にあっては原則として）。ゲルマン型にあっては（イ）において述べたと同じ理由で、遺留分権をも失う。例外は存在しない。法定相続からの排除は、いかなる原因によるものであれ遺留分権の形で、相続財産に関与することを拒む。これに対して、ローマ型では、遺留分権は近親としての資格において有するものであるとされているが、それでも、遺留分権と法定相続権は完全に無縁というのではない。遺留分権は法定相続権（もし相続人の指定・廃除なかりせば存在したであろう）の代償である性質を持っている。いずれの型にせよ、遺留分制度は、被相続人の恣意からの推定法定相続人の保護の制度である。これ以外の原因による法定相続権の喪失は、ローマ型にあっても、遺留分制度の関知せざるところである。しかし、相続の放棄の場合は、ドイツ法は、ゲルマン型と異なり、場合によって、相続を放棄しても、遺留分権を失わないものとしている（ド民二三〇六参照）。ここでは、遺留分権と法定相続権の関係は、もつぱら法政策的な問題となつている（詳細は、高木「遺留分権利者の法的地位」四二七・四三〇頁参照）。

(2)　ゲルマン型にあつては、遺留分権利者は相続人であり、しかも、相続人としての資格において遺留分権を有する。ここでは、遺留分権は、相続権としての性格（物権的性格）を有している。それに対して、ローマ型では、被相続人に対する一定近親としての資格で、指定相続人・次順位相続人（廃除の結果相続人となる）との間の相対的関係において、一定財産額を保障されているのであり、ここでは遺留分権は債権的性格を有している。

まず、ドイツ民法からのべると、制度上は、遺言相続主義をとり、その結果遺留分請求権の制度上の原則的型は、相続人の指定・廃除によつて、法定相続人の地位を剝奪された一定近親が、遺言相続人に対して法定相続分の代償として、一定財産額を請求する権利としての姿をとる（Boehmer, a. a. O., S. 45 この原則的遺留分請求権は、学説上、ordentliche Pflichtteilsanspruch と呼ばれている）。彼には、相続人たる資格そのものに対しては、何らの保護もない。遺留分請求権は、被相続人の意思（遺言・相続契約）によつて創り出された相続秩序に対して、何らの影響力もない。ただ、被相続人によつて、相続人とされた者に対して、一定財産額を、しかも、遺産そのものではなくて、貨幣を請求し得るに尽きている。遺産の現実的対象に対して、物権的支配を有するものではない。遺留分権は、あくまでも、遺言相続人と、遺留分権利者の間の債権的関係にとどまる。ゆえに、遺留分請求権は、債権的請求権（金銭債権）である。相続財産は、ただ、遺留分請求権に対して、責任財産を構成するに過ぎない（遺産債権）（ド民一九六七II参照）。そして、この責任財産上に、その外の遺産債権も、遺言相続人個人の債務も競合する（Boehmer, a. a. O., S. 61）。そして、これらの間の順位は、破産外においても、破産上においても、遺贈及び負担によって生じた債権には優先するが、他の一般の遺産債権・遺産管理の費用請求権に劣り（ド民一九九一IV、ド破産二二六4）、遺言相続人の固有債権者とは、同一順位にある（もっとも固有債権者との競合を避ける方法として、遺産管理・遺産破産の二つの制度がある）。この、優先関係は、遺留分請求権の債権的請求権としての性格を、何よりも明確に表現している（なお、以上は、ドイツにおける遺留分問題の原則的場合であるが、ここでも、遺留分権利者が同時に相続人の地位を持つており、しかも遺留分が侵害されている場合がありうる。たとえば、生前贈与によつて、遺留分が侵害された場合である。このときでも、遺留分権利者には、債権的地位しかない。詳細は、髙木「遺留分権利者の法的地位」四三八頁以下参照。）。

これに反して、ゲルマン型は、しばしば述べてきたごとく、遺留分は、法定相続人に保証された相続部分である。遺留分権利者は、相続人としての資格において、遺留分権を有している。遺留分権の性格は相続権であり、遺留分権利者は物権的地位を有している。ゲルマン型として、フランス民法を代表として述べると、ここでは、遺留分権の具体的な顕現としての減殺請求権は、建前としては、物権的請求権として考えられている（なお、場合によつて、これを緩和するという方法をとつている）。

（イ）最も明確に減殺請求権の物権的性格を示しているのは、九二九条である。減殺請求権によつて回復される不動産について、受贈者が、第三者のために設定した「債務（dettes）又は抵当権の負担」は、その効果として消滅するものとしている。すなわち、賃借権のごとき債権に対しても、抵当権のごとき物権（学説は、用益権のごときにも拡大解釈している）に対しても対抗しうるとされているのである（Voy., Ripert et Boulanger, Traité de Droit civil, t. IV.1959. n°2739）。

（ロ）果実の返還についても、制限的ながら、物権的効力を認める。すなわち、贈与者死亡後一年内になされたときは、贈与者死亡の時にさかのぼつて、果実の返還を請求し得る（フ民九二八）。その時から、受贈物上に、遺留分権利者が所有権を取得するからであると説明されている。ただ、無制限に果実の返還を請求し得るとするのは、受贈者にとつて酷であるから、一年内に限つたとされている（Ripert et Boulanger, op. cit., n°2739）。

（ハ）　受贈物が、第三者に譲渡された場合は、目的物が動産であれば善意取得制度で、物権的追求力が阻止されるが（フ民二二七九）、不動産の場合には制限的ではあるが、追求力が承認されている（法文は、「減殺又ハ回復ノ訴権ハ、贈与ノ一部トナリ受贈者ニ依リテ譲受セラレタル不動産ノ第三占有者ニ対シテ、相続人之ヲ行使スルコトヲ得。但シ訴権ハ受贈者本人ニ対スルト同一ノ方法ニ依リ且同一ノ順位ニ於テ、受贈者財産ニ付キ予メ検索ヲ行ヒタル後之ヲ行使スベシ……」（フ民九三〇））。そして、第三者に対する関係では、物権請求権があるとしている（Ripert et Boulanger, op. cit., n°. 2743. 受贈者支払不能が、贈与の失効を生ぜしめ、遺留分権利者が目的物の所有者になるとし、そして、この所有権に基づいて、第三者に返還請求をするのだと説明されている。なお、この問題は、遺留分減殺請求権の構成のそれと関連する。後述一二九頁以下参照）。

(3)　フランス・スイスでは、遺留分侵害の場合の、返還請求権の対象は、原則として、遺産の現物であるのに対して、ドイツでは、金銭だとされている。しばしば、述べたごとく、ゲルマン型では、遺留分は、法定相続人が、その地位で、相続分の一部として保障されている遺産部分（pars hereditatis）である。ゆえに、ここでは、遺留分は、遺産そのものの上に存在するという建前がとられている。従つて又、返還の対象は、遺産中から、逸出した財産そのものということになる。

ドイツ法では、完全な貨幣返還主義がとられている。ここでは、遺留分は財産の一部（pars bonorum）であり、遺産それ自体でない。価値（貨幣）による保護があるのみである（ド民二三〇三）。もつとも、ゲルマン型においても、遺留分の価値化は著じるしい（高木「近代的遺留分制度序説」神法七巻二号二四四頁以下参照）。

(4)　ゲルマン型遺留分制度にあつては、取戻財産及び引渡拒絶財産は相続財産を構成する。ここでは、遺留分は相続分の一部であり、遺産部分なのであるから、論理上当然に相続財産（固有財産に対する意味において）を構成する。ゆえに、ここでは、たとえば、限定承認がなされたような場合には、相続債権者は、取戻財産ないしは引渡拒絶財産を債務の引当とすることが出来る。もつとも、フランス民法は、明文の規定をもつて、相続財産性を拒否している。すなわち、相続債権者は、かかる財産から利益をうけることも、減殺請求権を行使することも出来ないとしている（フ民九二一）。しかし、明文の規定をもつてしなければ、固有財産性を認めえないところに、ゲルマン型の特色を示している。それに対して、ローマ型にあつては、かかる問題を生ずる余地はない。むしろ、遺留分請求権が遺産債権として、他の遺産債権とともに、遺言相続人に帰属した相続財産に対し、競合関係にあるのである。

(5)　ローマ型とゲルマン型では、遺留分（Pflichtteil, réserve）という概念自体の意味が異なる。ローマ型では、「遺留分」とは、各遺留分権利者に個人的に帰属する財産部分である。各人の法定相続分の一部が、遺留分と呼ばれている（ド民二三〇三参照）。ゲルマン型でも、以上のような意味で用いられることもあるが、普通は自由分に対する意味で呼ばれている。すなわち、被相続人の非可譲分という意味である。これを相続人の側からみれば、遺留分権利者たる共同相続人全体（前近代社会では「家」）に帰属する遺産部分を指す。ローマ型遺留分が個人的で、ゲルマン型遺留分が集団的（collective）であるといわれているのは、かかる意味においてである。

㈢　日本遺留分制度の構造　　ゲルマン型が採用されていることは、つとに指摘されているところである。上述したごとく、ゲルマン型とローマ型の構造上の相違を決定づけているのは、前者にあつては、法定相続人としての地位そのものが保障されており、ゆえに、遺留分が、相続分の一部としての形をとるのに対して、後者では、推定法定相続人にはかかる保障がなく、ゆえに、遺留分は、それに代わる一定の財産額となつているということを述べた。明治民法では、家督相続が中心をなし、ここでは、長男子が「家」を相続するものとされ、遺留分は、「家」の物質的基礎であつたから、法定相続制を採用し、遺留分制度も、家庭の維持という意味では、より優れたゲルマン型がとられる基盤があつた。遺産相続にも相続制度の中心をなす家督相続の原理が滲透し、その構成は変るところがない。現行相続法は、「家」制度の廃止にともない家督相続を廃し、近代化し（完全かどうかは別として）、遺留分制度も新しい意義と機能を負わされることとなつたが、遺留分の保障の方法としては、明治民法上のそれがそのまま承継されており、ただ、家督相続が廃止された結果、遺留分権利者の範囲が変つたとか、その他わずかの修正がなされているだけであつて、制度の構造そのものには、変るところがない（我妻・改正親族相続法解説二一七頁参照）（ゆえに、解釈にあたつても、明治民法時代の判例・学説が参考となり得る。ただ、新しい意義と機能に照らしてそのまま維持されるかどうかを注意することを要する）。

それでは、以下、ゲルマン型が採用されていることを論証していくこととする。

(1)　法定相続人の地位そのものが保障されている。

（イ）　相続人の指定　　ドイツ式の相続人の指定制度を設けていない。ただ、これに代わるものとして、包括遺贈の制度（明法一〇九二・現民九九〇参照）があるのみである。ドイツ相続法と対照的である。スイス相続法は、相続人の指定制度を認めた上で、減殺請求の対象とし、法定相続人の地位を保障するが、かかる構成でもない。この点、全く、フランス式である。そして、包括受遺者は、相続人と同一の権利義務を有するものであり、実質的には指定相続人であるが、形式上は相続人ではない。たとえ全財産の包括遺贈が第三者になされても、相続人という資格そのものは、推定法定相続人に帰属する（養老保険契約の保険金受取人を「相続人」としている場合、全財産の包括受遺者といえども相続人ではないとして、被相続人の兄弟を相続人として受取人と解した最近の判決がある（東京高判昭三六・六・二八下級民集一二・一四五四））。

（ロ）　廃除　被相続人の意思により、推定法定相続人の地位が剝奪される制度として、廃除がある（家督相続については、明民九七五以下、遺産相続については、明民九九八以下、現民八九二）。しかし、ドイツ民法におけるように無制限に許されるのでなくて、一定の法定原因（被相続人に対する虐待・重大な侮辱・著しい非行）ある場合に限られている（この点では、スイス法と同じである）。この意味においても、推定法定相続人は、その地位が保障されている。

このように、一定の法定原因（廃除原因）が存在しない限り、被相続人の意思により、法定相続人の地位が奪われないという保障が存する。ここでは、遺留分制度は、かかる法定相続人に彼の地位にふさわしい実質的利益を与えるという構成（ゲルマン型）が採用される基盤がある。ローマ型におけるように、法定相続人の地位を奪われた近親が、遺言相続人に対して一定額の財産を請求するという構成とは、全然なじむところがない（第二〇一回法典調査会議事速記録五丁以下の富井政章氏の発言参照）。

(2)　次に、ゲルマン型としての特色が、制度のどのような点にあらわれているかを見る。

（イ）　遺留分権利者の資格　遺留分権利者は相続人たることを要する。上述したごとくゲルマン型の一つの特色として、法定相続人は、相続人の資格において遺留分を有するのであり、従って、法定相続権が遺留分権の基礎であり、遺留分権は法定相続権と切り離せない関係にあると述べた。明治民法において、かかる原則が採用されていることは、遺留分権利者の範囲として、「法定家督相続人タル直系卑属」（明民一一三〇Ⅰ）・「此他ノ家督相続人」（明民一一三〇Ⅱ）・「遺産相続人タル直系卑属」（明民一一三一Ⅰ）・「遺産相続人タル配偶者又ハ直系尊属」（明民一一三一Ⅱ）としているところから明らかである。現行法上も「兄弟姉妹以外の相続人は、遺留分として……」（一〇二八）となっている（明治民法起草者も、この点を明言している。富井政章「……遺留分ト云フモノハ相続人デナケレバ受ケルコトハ出来ヌト云フ主義ヲ取ッタ……」（第二〇一回法典調査会議事速記録一〇丁以下）なお、一一九頁以下参照）。

（ロ）　取戻（引渡拒絶）財産の相続財産性　　かかる性質は、遺留分が相続財産の一部であるゲルマン型においてのみみられるものであることは前述した。

(a)　明民九六七（家督相続の場合）・明民九九三（遺産相続の場合）現民八八五条は、相続財産に関する費用は、贈与の減殺によりて得たる財産をもって支弁することを要せずと規定している。もし、かかる財産が、遺留分権利者（相続人）の固有財産であれば、あえて、このような規定を要しない。相続財産性を前提とし、ただ、相続財産に関する費用については、かかる財産（贈与を減殺した場合のみ）から弁済を要しないとする意味であることは明らかである（富井政章「……遺留分ト云フモノハ相続財産ノ一部ト見ル方ガ穏当デアラウト思フサウシテ見レバ原文ノ儘デハ（この条文は修正案としてつけ加えられた―筆者）遺留分ヲ以テ相続財産ノ管理ニ関スル費用ソレハ多クノ場合ニ於テハ遺留分権利者ノ利益トナラナイ費用デアリマスソレヲ支払フコトニナリマス……」（第二〇一法典調査会議事速記録四五―四六丁）。

(b)　遺留分権利者（相続人）が限定承認をした場合に、相続債権者が遺留分権を代位行使しうるとすることは、相続財産性の一つのメルクマールである。わが民法は、フランス民法のごとく明文の規定をもって解決していない（学説上は、肯定・否定の両説が対立している（一三四頁参照）。明治民法起草者は否定していた。「被相続人ノ債権者ハ全ク減殺権ヲ有セサルナリ……只被相続人ノ債権者ハ遺留分権利者カ単純承認ヲ為セハ遺留分権利者ノ債権者トシテ之ニ代リテ減殺ノ請求ヲ為スコトヲ得ルモノナリ……」（民法修正案理由書三七七頁）、梅・相続四三六頁参照）。

このように、責任の面からは、相続財産性がみられるが、しかし、共同相続人間では、共同相続財産というよりも、減殺請求権行使者の個人財産として考えられている（中川監・注解四五八頁、谷田貝・法時三三巻二号二三八頁、我妻＝有泉・民法Ⅲ四四八頁）。すなわち、一遺留分権利者の取戻した財産は、相続財産として、共同相続人の共同所有に属するものとはならないと解されている。しかし、遺産分割前には、相続財産を構成し、遺産分割の対象となるとする注目すべき最近の審判がある【82】（詳細は一六四頁参照）。

（ハ）　現物返還主義　　現物返還主義・価値返還主義をもって、ゲルマン型・ローマ型の特色とすることは、少なくとも、近代的な遺留分制度の下では、その意味が薄れていること、そして、ただゲルマン型では、その制度の構造上建前としては、現物返還主義がとられ、それが価値返還主義によって崩されているということは前述した（九頁）。

日本民法には、まさにかかる構成がみられる。

(a)　明民一一四四条・現民一〇四一条は、受贈者及び受遺者は減殺を受くべき限度において、目的物の価額を弁償して返還の義務を免がれうると規定する。規定の仕方から見ても、一応現物返還主義がとられ、価額の返還によって現物返還を免がれうるものとしていることを知りうる（民法修正案理由書に、現物返還が原則であることが述べられている。「……現物返還ヲ本則トシ受贈者及ヒ受遺者ハ贈与又ハ遺贈ノ目的ノ価格ヲ弁償シテ返還ノ義務ヲ免ルルコトヲ得ルモノトセリ……」（三八四頁以下）。もっとも富井氏は、ほとんど、価値返還主義を採用したがごとき発言をしている。「……遺留分ニ対スル価額トサヘスレバ宜イト云フコトニシタ方ガ処分権ヲ重ンジサウニ（シの誤り？）テ詰リ遺留分権利者ニ取ツテハソレ丈ケ生活ノ方向カ之テ往ケハ宜イノデアリマスカラ折角得タル財産迄モ取戻スコトノ必要ハナイト思フテ本条ノ如クシタノデアリマス……」（第二百二回法典調査会議事速記録三四―三五丁）。）。

(b)　第三者に目的物が譲渡された場合、あるいは、権利が設定された場合は、完全に価値返還主義に転換している（明民一一四三Ⅰ本、現民一〇四〇Ⅰ本Ⅱ）。ただ、第三者が「遺留分権利者ニ損害ヲ加フルコトヲ知リタル」ときのみ、現物返還主義がとられている（明民一一四三Ⅰ、現民一〇四〇Ⅰ但）。しかも、この場合においても、明民一一四四条現民一〇四一条が適用されると解されている（詳細は一五三頁）。

（二）　物権的地位　ゲルマン型遺留分制度では、遺留分権利者は相続人であり、しかも、相続人としての資格において、遺留分権を有する。ここでは、遺留分権は、相続権としての性格（物権的性格）を有することは前述した（八頁以下参照）。しかし、日本民法典には、フランス民法典（九二二）のごとく、明瞭に物権的地位を示す条文はなく、ただ一応、民法典の規定の上から、物権的地位ないしは、それから派生した事柄として指摘しうるものに、Ⅰ現物返還主義、Ⅱ目的物の第三者への譲渡、又は、第三者のための権利設定の場合、悪意の第三者に追求しうること（明民一一四三Ⅰ但、現民一〇四〇Ⅰ但）、Ⅲ相続財産性（明民九六七・九九三、現民八八五Ⅱ）があげられる。しかし、これらは、いずれも債権的に、説明されているか、説明しうるものである。順次、考察してみると、

Ⅰ　現物返還主義　減殺請求権の物権的効力と論理的に結びつく。ここから、説明されることが多い。しかし、請求権説の側からも、ドイツ民法的に（贈与財産の取戻しについての）、不当利得返還請求権と解すれば、説明がつく（中川・注釈下二六九頁以下（磯村））。しかもあくまでも論理上の建前であって、事実上は、価値返還主義に転換していることも前述した（一四頁）。

Ⅱ　第三者への追求力　第三者（受贈物の譲受人・権利設定者）への追求力は大幅に制限されている。ただ、悪意の第三者にのみ可能である（明民一一四三Ⅰ但、現民一〇四〇Ⅰ但）。もっとも、物権的地位を否定する側からは、詐害行為取消権類似の思想に基づいて、悪意の第三者への追求を認めたのだということが、いわれている（中川・注釈下二六九頁本文及び注(5)（磯村））。第三者への追求力は、本来的には、物権的効力であることは、いうまでもないが、債権的にも説

明もなしうる程、弱められている。

III　相続財産性　取戻ないしは引渡拒絶財産が遺留分権利者に物権的に帰属するということは（減殺請求権の形成的効力によって）相続開始時に相続財産の一部となることであるから、相続財産性は当然に認められる（中川編・注釈下二三三頁（島津）、近藤・相続下一〇五九頁、谷口・遺留分一九一頁）。しかし、相続財産性から逆に物権的帰属を論理必然的に導くことには無理がある。しかも、相続財産性も責任という一面からのみ認められており（一六四頁参照）、この面からの相続財産性は債権的に考えても、肯定しうる。けだし、減殺請求権は相続によって取得するのであり、取戻財産が、相続によって取得した財産であることには変りはないからである（相続財産の範囲については、近藤・相続下八四八頁以下）。

更に、物権的地位を弱め、むしろ債権的地位を裏づけるものとして、果実返還請求権の問題がある。物権的効力を前提とするフランス民法では、相続開始の時から果実の返還を請求しうるとしていることは前述した。日本民法においても、遺留分権利者が、減殺請求権の行使により処分財産上に所有権を相続開始時に取得するとすれば、受贈者が悪意（民一八九・一九〇）の場合は、果実の返還を請求しうるはずである。しかし、明民一三九条・現民一〇三六条は、相手方の善意・悪意を問わず、減殺の請求があった日から出来るとする。解釈としては、物権的地位を前提とし、果実返還の面での制限としてかかる規定を設けているという考え方と、債権的地位のメルクマールとして解する立場の二つが考えられうる。民法起草者は、前者のごとくである（「……贈与ノ減殺ヲ許ス以上ハ理論上遺留分権利者ハ受贈者ニ対シテ相続開始ノ日以後ノ果実ヲ返還スル事ヲ請求スルヲ得ルモノト為ササルヘカラス然レドモ受贈者ハ通常収取シタル果実ヲ消費スヘキカ故ニ相続開始ノ日以後ノ果実ヲ返還セサルヘカラサルモノナリトスルハ甚タ酷ナリト云フヘシ……」（民法修正案理由書三八一頁））。

二　遺留分の意義

遺留分とは、結局制度上遺留分権利者のために保障されている遺産の一部をさすわけであるが、正確な定義となるとまちまちであり、法文上も学説上も、いろいろな用法で多義的に用いられている。ここでは、いずれをもつて正確な定義とか、用方とかいうのではなくして、多くの用方を二つの観点から整理することとする。

(一)　遺留分権利者の全体に帰属すべき財産部分を遺留分と呼ぶ場合と、各遺留分権利者各々に帰属する部分を呼ぶ場合とある。

前述したように、ゲルマン的遺留分制度独得の発想方法として、遺産は二つの部分に観念上分割される(一(二)(5)参照)。被相続人の処分し得る部分としからざる部分に。前者は、自由分ないし可譲分と、後者は遺留分と呼ばれる(たとえば、中川・大要三〇六頁、一〇二八条での遺留分がそうである)。かかる意味での遺留分は、遺留分権利者たる共同相続人の全体(前近代社会では「家」)に帰属する遺産部分を意味するのである。そして、遺留分権利者が数人いる場合には、それが配分されるわけであり、これが個人的な遺留分となる(たとえば、中川・大要三一〇頁参照)。

(二)　遺産の一定割合(二分の一とか三分の一とか)をさす場合(一〇二八条はこの意味)と、具体的な額(何万円)をさす場合がある(一〇二九条一項はこの意味)。要するに遺留分は、遺産の一部分であるが(相続分の場合と同じように)、第一次的には、遺産全体の抽象的割合として決定される。しかし、遺産そのものは、価値の集積であり、貨幣量によつて表現される存在である。従つて、その一部分も第二次的には、貨幣量(財産額)として評価されることとなる。遺留分を定義するにあたつて、遺産の一定割合とするのは、前者の側から(たとえば、中川・大要三〇六頁、川島・民法(三)二一〇頁)、一定額とするのは、後者の側から定義するものであり(たとえば、柚木・判相四〇六頁、青山・相続二五三頁)、その間に相違はない。

三 遺留分の対象

遺留分は、終局的には、貨幣量によつて示される遺産の一部分であつて、個々の遺産の一部分ではない。しかし、このことから、ただちに、遺留分権利者に保障されているのは、貨幣であるという結論にはならない。遺留分が貨幣量によつて示されるということと、それが、遺産の具体的な一部(現物)であるか、それとも貨幣であるかは、異つた次元の問題である。遺留分が、貨幣量(たとえば五万円)で表現されるとしても、具体的には、それが、五万円の価値のある現物か、それとも五万円の金銭(貨幣)そのものかは、別の問題である。日本民法は前述したごとく、原則としては、現物であるとしているが、一〇四一条・一〇四〇条の一項本文の両条が大幅にその建前を崩し、現物返還主義と価値返還主義の両面がみられる(一(三)(2)(ハ)参照)。このいずれを重視するかによつて、具体的問題の解決にあたつて相違を生ずる。次に比較的最近の下級審判決は、減殺請求権保全の方法としてなされた、受贈物の処分禁止仮処分の取消判決であるが、その理由の中心として、遺留分の価値的性質の面が強調されている(本判決の当否は後述する)。

【1】「遺留分は元来遺産に一定の生前贈与の目的物を加えた財産に対する割合を以て示される価額であつてこれによつて遺留分権利者に保留されるのは具体的財産ではなく価額である。もつとも遺留分権利者がその権利を行使し遺贈又は贈与を減殺するときはその結果取得した遺贈又は贈与の目的物自体の返還請求をなし得ることは当然であつて民法もこれを認める立場から規定しているけれども同時に又その第千四十一条第一項は受贈者又は受遺者が減殺を受くべき限度において贈与又は遺贈の価額を遺留分権利者に弁償して返還の義務を免れることができると規定し遺留分が価額についての権利たる趣旨を貫いた。換言すれば遺留分

減殺によつて生じた具体的財産の返還請求権は当該財産が可能な場合においても受贈者又は受遺者の自由な意思に基づきこれに代る金銭の給付に満足すべく本来の給付を期し得ないものであつてその意味では権利行使につき遺留分の本質に由来する当然の制約を受ける。従つて右本案の土地共有持分返還請求権もこれが保全のため処分禁止の仮処分を絶対に必要とするものではなく土地共有持分の価額を弁償するに足る金銭的補償を以てしてもよくその終局の目的を達し得るものと考えざるを得ない」（東京地判昭三四・二・四下級民集一〇・二・二四二）。

二　遺留分権利者と遺留分権

一　遺留分権利者

わが遺留分法では、前述したごとく、法定相続権が遺留分権の基礎をなしており（(2)一・一(イ)(三)参照）、従つて、遺留分権利者の資格・範囲・順位は相続権のそれについての理論がそのまま適用される。ゆえに、相続欠格者、相続から廃除された者、相続を放棄した者は遺留分権を有しない（近藤・相続下一一〇一頁、谷口「遺留分」家族制度全集法律篇第五巻一八三頁（以下、谷口「遺留分」と略称）、柚木・判相四一二頁、中川編・注釈下二〇九頁（薬師寺）、我妻＝立石・親族相続六三二頁等）。

現実に遺留分権利者の地位につくのは、確定的に相続人となつたとき、すなわち、相続開始時である。このときから、遺留分実現のために減殺請求権を行使しうる。次の判決【2】は結局においてこの理を述べるものである。事案は、相続開始前において、推定家督相続人が贈与の減殺を請求したものであるが、相続開始前には、遺留分権利者なるものなしという理由で認めなかつた。

【2】「按スルニ遺留分ハ被相続人ノ自由処分ニヨリテ剝奪スルヲ得スシテ相続人カ法律上当然受クヘキ権利ヲ有スル相続財産ノ一部ヲ云フ故ニ遺留分権利者タルニハ相続ニ接着シテ相続人ト確定シタル者ナラサ

ルヘカラス相続開始以前ニ於テハ単ニ相続ヲ為スヘキ期待ヲ有スル者アルニ止マリ未タ確定シタル相続人アラサルカ故ニ遺留分権利者ナル者ノ存在スヘキ理ナシ原告ハ本件ニ於テ原告ハ被告秋山儀右衛門ノ法定ノ推定家督相続人ナリト主張スルヲ以テ原告ノ主張ニヨレハ被告秋山儀右衛門ノ相続ハ未タ開始セサルモノナルコト明カニシテ従テ被告秋山儀右衛門ノ財産ニ対シ遺留分権利者ノ存在スヘカラサルコト論ヲ待タス去レハ原告ハ原告ノ主張自体ニ於テ既ニ原告主張ノ如キ遺留分権ヲ有スル者ニアラス原告ノ本件請求ハ此点ニ於テ失当ナルヲ以テ……」(東京地判明四一年月日不詳、新聞六〇九・九)。

又、将来減殺請求によって生ずべかりし贈与目的物の所有権移転の仮登記を、相続開始前になし得ないとする決定理由【5】中においても、同一趣旨がのべられている。その部分だけをぬき出すと、

【3】「遺留分権利者タルニハ確定的ニ相続人ト為リタルモノナラサルヘカラサルヲ以テ相続開始後ニアラサレハ遺留分権利者ナル者存在スルコトナシ」(大決大六・七・一八民録二三・一一六一)。

これらの判決ないし決定理由を文字通りとらえ、相続開始前に遺留分権利者なるものが存在するかどうかを論ずることは、相続開始前に相続権(人)あるかどうかを抽象的に論ずることが実益のない、単なる用語の用い方の問題であると同様に、無益である。問題は、相続開始前、あるいは後の彼らの地位の内容であつて、遺留分権利者という名称をつけるかどうかは、本質的な問題でない(相続開始前の遺留分権利者の地位については後述二(二)参照)。

次に、贈与(減殺の対象となつている)後に推定法定相続人となつた者も、遺留分権利者であるとする判決【4】がある。事案は、推定家督相続人が存在しない当時に、被相続人が全財産を贈与し、その後養子縁組をし、相続開始後に養子が贈与の減殺を請求したというものである。

【4】「遺留分ノ権利ハ家ヲ維持スル為ニ認メラレタル相続人ノ権利ナルカ故ニ被相続人カ相続開始前其ノ財産ヲ贈与シタル当時ニ於テ法定家督相続人ナキモ其ノ家ヲ廃絶家トナスコトナク存続セシムル意思ナルコト明ラカナル場合ニ於テハ右贈与後ニ家督相続人ト為リタル者モ尚遺留分権利者タルニ妨ケナキモノトス」（大判昭一九・七・三一民録二三・四二二、来栖・判民三二事件、福島・民商二二巻三号六〇頁）。

抽象論としては当然の事理であり、相続開始時に法定相続人の地位についた者は（兄弟姉妹を除き）当然に遺留分権利者の地位につく（福島・評釈参照）。なお、この判決では、贈与当時、「其ノ家ヲ廃絶家トナスコトナク存続セシムル意思ナルコト明ラカナル場合ニ於テハ」という留保をつけているが、かかる意思と関わりなく遺留分権利者であることは多言を用しない。本判決は、上述したように、遺留分権利者であることを前提とした上で贈与が遺留分権利者を害することを知つたうえでなされたかを問題としている（この点については後述する【23】）。贈与当時には、推定法定相続人は存在せず、遺留分権利者は、贈与後に法定家督相続人となつた者であるとか、贈与当時廃絶家となす意思がなかつたとかいう事情はむしろ、それが贈与の悪意性の認定にどのような影響を与えるかという観点から問題とさるべきである（来栖・評釈はもつぱらこの観点から判例を分析しておられる）。昭和四年六月二二日大審院判決【16】は類似事案においてもつぱら、かかる角度から問題を取扱つている（詳細は【23】の解説参照）。

二　遺留分権（利）

遺留分制度は、遺留分権利者に遺産の一定額を保障する。これによつて、遺留分権利者は、相続が開始した場合に、遺産の一定額を不可侵的に取得しうるという地位を有するわけであるが、これを遺留分権（利）という。相続が開始し、遺留分侵害行為の存在が確定すれば、かかる遺留分権に基づいて、遺留分侵害行為（遺贈・贈与等）の効力を奪う減殺請求権と呼ばれる具体的・派生的な権利が発生する。遺留分権は、減殺請求権のいわば源泉であり、抽象的・基本的権利である。

（一）　相続開始前の遺留分権　相続開始後においては、一定の要件が具備すれば、遺留分権に基づいて、具体的な減殺請求権が発生する。それでは、相続開始前においては、遺留分権利者の地位はいかなるものであるか。そもそも、遺留分権と呼ぶにふさわしい諸利益が彼にあるのか。もしあるとすれば、それはどのような内容のものであるかという問題を生ずる。遺留分権は、不可侵的相続権であり、いわば、相続権の変種であるゆえに、相続開始前の相続権（八八七Ⅱ）なるものを期待権とみる立場からは期待権と把握されよう（谷口・遺留分一八二頁、中川監・注解四七三頁、福島教授は、期待的な遺留分権者だとされる（相続二一五頁））。また、単なる希望、期待と見る立場からは、権利と呼ぶにふさわしくないとされよう（柚木・判相七二頁以下）。しかし、相続開始前の地位を遺留分権と呼ぶかどうか、それを期待権とみるかどうかを抽象的に論ずることは、相続開始前に遺留分権利者なるものが存在するかを問題とすると同様に意味のないことである（ただ、言葉として推定相続人について、遺留分権ないし遺留分権者という用語を用いることは便利である。）。むしろ、個々的な問題にあたつて、相続開始前に法的保護を与うべきか、与うるとすれば、どの範囲においてかを論ずるのが妥当である。ただ、一般的にいえば、遺留分権というものは、具体的には減殺請求権という形をとつて、遺留分権利者に法的利益を与える。従つて、相続開始前の遺留分権利者の保護も、結局は、減殺請求権に関連するものであり、いわば、これについての予備的保護を与えるという形をとる。しかし、相続開始前においては、減殺請求権について具体的なるものは無に等しい。なる程、遺留分権(相続権)については、推定相続人はかなり確定的な期待的地位(期待権と呼べるかどうかは別として)を持っているとしても(廃除についても一定の要件が要求され(八七二)死亡を別とすれば、この期待はかなり強い)減殺請求権の発生については、遺留分侵害行為の存在という要件が加わり、従つて、特定の贈与に対する減殺請求権は、将来の相続財産の変動によつて左右され、相続が開始するまではまつたく不確定である。特定贈与に対する減殺請求権についての期待的地位なるものは、極めて稀薄であるといわねばならない。従つて、一般論として、相続開始前の遺留分権利者の保護は、殆んどあり得ないといつてよいと思う。それでは、以下、この問題についての判例を紹介する。

(1) 相続開始前に、遺留分減殺請求権を行使することはできない。相続が開始してはじめて、減殺の必要性、その対象が確定するのであつて、このときに、減殺請求権が発生することは自明の理である。【2】は、この理を、相続開始前に遺留分権利者なるものなしとする理由づけで述べている。

(2) 贈与の目的物上の所有権移転(相続開始後に減殺することによつて生ずる)の仮登記を相続開始前にすることはできない【5】(なお、仮登記の対象である権利がなにであるかは、事実関係が判例集に登載されていないので必ずしも明確ではなく、遺留分減殺請求権保全の仮登記とみている著書もある。たとえば、杉之原・登記二四二頁注(3)、舟橋・登記一八七頁、幾代・登記九八頁注(1)。しかし、判決理由に述べられているところから判断すると、むしろ、減殺の結果、自己に移転する所有権保全の仮登記のようである)。

事案は、相続開始前になされた仮登記仮処分命令申請が却下され、地方裁判所に抗告したが却下された。そこで、再抗告したのが本件である。地裁での却下理由は、相続人は相続開始と同時に減殺請求権を取得すべきも、相続開始以前には、法律によりて保護さるべき遺留分保全の減殺請求権なしとする。これに対し、抗告理由として、相続開始前にあつても、遺留分権侵害の事実ありうべきことは一一三三条（「一年前ニ為シタルモノト雖モ当事者双方カ遺留分権利者ニ損害ヲ加フルコトヲ知リテ……」（現民一〇三〇））の解釈上疑を容れざるところであり、相続開始前遺留分権利侵害の事実ありとする以上は、相続人に侵害せらるべき権利の存在すべきことを是認せざるべからずと主張している。

【5】「遺留分権利者タルニハ確定的ニ相続人ト為リタルモノナラサルヘカラサルヲ以テ相続開始シタル後ニアラサレハ遺留分権利者ナル者存在スルコトナシ然レトモ第一順位ニ在ル推定相続人（例ヘハ法定ノ推定家督相続人直系卑属タル推定遺産相続人ノ如シ）ハ其順位ヲ失フヘキ事由発生セサル限リ相続人ト為ルヘキ権利（相続権）ヲ有シ従テ遺留分権利者トナルヘキ期待権ヲ有スルモノト謂フコトヲ得ヘキヲ以テ被相続人カ生前其所有財産ノ全部ヲ他人ニ贈与シタル場合ニ於テ第一順位ニ在ル推定相続人ハ其財産中遺留分ノ定率ナル二分ノ一又ハ三分ノ一ノ不動産ヲ指定シ之ニ付キ将来ニ確定スヘキ所有権移転ノ請求権ヲ有スルモノトシテ不動産登記法第二条第二号ニ依リ仮登記ヲ為スコトヲ得ヘキヤヲ審究スルニ同法第二条第二号第二項ニ所謂将来ニ確定スヘキ請求権トハ法律カ仮登記ヲ認メタル精神ヨリ之ヲ観且ツ之ヲ停止条件附又ハ始期附ノ請求権ト并立セシメタル点ヨリ之ヲ観レハ不動産ニ関スル純然タル将来ノ請求権ヲ謂フニアラスシテ特定ノ不動産ニ付キ或法律関係アリテ其法律関係ヨリ請求権カ将来ニ発生スヘキ場合換言スレハ其不動産ニ付請求権ノ発生スヘキ基本関係アリテ之ニ将来或法定条件ノ加ハルニヨリテ請求権ノ発生スヘキ場合ヲ謂ヘルモノト解スルヲ相当トス然ルニ相続人カ遺留分権利者トシテ二分ノ一又ハ三分ノ一ヲ受クヘキ被相続人ノ財産ハ相続開始ノ時ヲ以テ標準ト為シ其時ニ於ケル被相続人ノ有セシ財産ノ価額ニ其贈与シタル財産ノ価額ヲ加ヘ其中ヨリ債務ノ全額ヲ控除シテ之ヲ算定スルモノトス（民法第千百三十二条）故ニ被相続人カ贈与ヲ為シタル後贈与財産ト同額以上ノ財産ヲ増殖シタルトキハ毫モ遺留分ヲ害スルコトナキノミナラス贈与財産ノ価額ヲ加算スルハ其贈与カ遺留分権利者ニ損害ヲ加フルノ故意ヲ以テ為サレタル場合ノ外相続開始前一年以内ニ為サレタルコトヲ要スルモノナレハ相続開始ノ時ニ至ラサレハ贈与カ遺留分ヲ害スルヤ贈与財産ノ価額ヲ被

相続人ノ財産ニ算入スヘキヤヲ知ルコトヲ得サルモノトス右ノ如ク贈与財産ノ価額カ被相続人ノ財産ニ算入セラルルコトト為リ且ツ其贈与カ遺留分ヲ害スルコトト為リタル場合ニ於テモ相続人ハ民法第千百三十四条ニ依リ同法第千百三十六条以下ニ定ムル一定ノ順序ニ従ヒ受贈者ニ対シ減殺請求権ヲ行使シタル上贈与財産ノ返還ヲ受クルニアラサレハ其財産ノ所有権を取得スルコトヲ得サルモノトス故ニ相続開始前ニ於テハ被相続人ノ贈与シタル不動産に関シ第一順位ノ推定相続人ノ為将来所有権移転ノ請求権発生スヘキ法律関係存在セサルモノトス又減殺請求権ハ叙上ノ如ク相続開始後ニ至リ遺留分侵害ノ事実確定シタル上ニアラサレハ発生セサルノミナラス其請求権ハ受贈者ニ対シ贈与ヲ相対的ニ取消スノ権利ニシテ贈与財産ニ関スル物権的請求権ニアラサルヲ以テハ相続開始前ニ於テハ贈与ニ関シ将来ニ於テ減殺請求権ヲ生スヘキ法律関係モ存在セサルモノト謂ハサルヲ得ス従テ第一順位ノ推定相続人ハ被相続人ノ贈与シタル不動産ニ対シ不動産登記法第二条第二号ニ依リ此等ノ将来ノ請求権ヲ保全スル為メ仮登記ヲ為スコトヲ得サルモノトス」（大決大六・七・一八民録二三・一一六一）。

学説は一致して、本判決を支持している（近藤・相続下一一二三頁、柚木・判相四〇八頁以下、中川監・注解四五四頁、前記不動産登記法に関する著書）。この事案は、第一順位の推定相続人がかかる処置にでたケイスである。たしかに、第一順位の推定相続人は、相続開始後、遺留分権利者として、遺留分の侵害があれば、減殺請求権を行使しうるという強い可能性を持つている。しかし、仮登記の対象となつている特定の贈与行為が、相続開始後に、減殺請求の対象となるかは、相続開始前ではまつたく不確定である。その理由は、判決理由中に尽きている。本判決は、直接的には仮登記に関するものであるが、よりひろく、相続開始前の推定相続人の地位を明らかにする重要な判決である。

(3)　相続開始前に、処分行為が、遺留分の基礎財産に算入さるべき行為（民一〇三〇・一〇三九参照）——従って減殺可能処分行為――であるとの確認を求める訴をすることはできない【6】。

【6】 養母の財産処分行為が、養子の遺留分を害する一〇三〇・一〇三九条の取引に該当するとの確認を求めるというものである。

「按ずるに、本訴請求の趣旨は本件記録によつて窺い得る訴訟の経過に鑑みて考うれば、所論相続開始の場合に発生するであろう（或は発生するかもしれない）法律関係の確認を求めるというに帰着するものと解するを相当とする。左すれば、確認の訴の対象と成り得るものは現在の法律関係であつて所論相続の開始によつて将来発生するであろうというような法律関係の確認を求めることは民事訴訟上許されないものと解するを相当とするが故に（昭和三〇年(オ)九五号三一年一〇月四日当裁判所第一小法廷判決民事判例集一〇巻一〇号一二二九頁以下参照）、用語いささか不十分であるが、結局右と同一趣旨に帰着する理由の下に本訴確認の請求はその主張自体失当のものとして排斥した原判決の判断は正当と認めざるを得ない」（最判昭三二・九・一九ジュリスト一四二・六二）。

処分行為が、一〇三〇条・一〇三九条の取引に該当するということは（実質的には、当事者双方に加害の認識があつたということ（一〇三〇後・一〇三九前））、当該取引行為が減殺請求の対象となるための一つの要件事実にしかすぎない。このこと自体は、将来の関係ではないが、事実関係にしかすぎない。これに他の要件（たとえば、相続の開始、遺留分を侵害しているということ）が加わつて、減殺請求権が発生するのであり、かくて、確認の対象たりうる法律関係が生ずる。原案は、事実関係の確認を求めるものとして排斥したが正当であろう。最高裁は、本件請求を相続開始の場合に発生するであろう法律関係（結局減殺請求権）の確認をもとめるものだと解釈している（ジュリスト解説も同旨）。としても、それが将来の法律関係であることは、いうまでもない（ジュリスト解説参照）。結果において正当である。

(二) 遺留分権の放棄

(1) 相続開始後の放棄

（イ）旧法下では、遺留分権は、単なる財産権というよりも、家産維持のための「家」の権利という色彩があつたから、相続開始後でも、放棄しうるということに全然疑がなかつたわけでない。しかし、減殺請求権について短期時効を認め（明民二四五）、できるだけ速かに権利関係を確定しようとする法の趣旨（谷口・遺留分一八四頁、中川・総評二巻五三一頁）、権利の行使は、自由である（中川・総評二巻五三一頁）ことから、学説は認めていた（同旨、近藤・相続下一一四九頁）。次の下級審判決は放棄を認めている。

【7】「原告ハ遺留分減殺請求権ハ之ヲ抛棄スルヲ得サル旨主張スルモ相続権ト異リ此点ニ関シ法令ニ別段ノ規定ナキニヨリ私法上ノ一般原則ニ従ヒ権利者ニ於テ任意抛棄シ得ヘキハ言ヲ俟タサルニヨリ右原告ノ主張ハ採用シ難シ」（水戸地下妻支判大二・三・二八評論二民法二五九）

更に【8】【12】は、直接的には、その可能なることを説くものではないが、いずれも、それを前提とするものである（後述する）。

新法下においては、個人的財産権であることは明らかであるから、疑いない。包括的な遺留分権を放棄することも、それから生ずる個々の減殺請求権を放棄することも自由である（柚木・判相四一〇頁、中川監・注解四七二頁以下）。もつとも、山中博士は、遺留分権の放棄（遺留分権という概念を用いられず、減殺請求権の包括的放棄といわれておられる）はありえないとされ、放棄されるのは個々の減殺請求権だとされる（中川編・注釈下二七八頁）。博士は、そもそも、遺留分権という減殺請求権の高次の統一的基本的権利概念を認められないようであり、相続開始後に発生するのは個々の減殺請求権のみとみておられる。そして、相続開始後の放棄は、必然的に特定的放棄だとされるのである。しかし、相続開始後でも、個々の減殺請求権の包括的な統一的概念である遺留分権を観念することは可能であるし（あたかも相続開始後に相続財産中の個々の権利とは別に「相続権」が観念し得るように）、相続開始前には、放棄できるのに（後述）、後ではできないという特別の理由は見出し難いように思う。

（ロ）減殺請求権の行使によって取り戻し得る財産が不動産の場合には、減殺請求権の放棄は、不動産の喪失を目的とする法律行為であるとし、親権者たる母が未成年者を代理して減殺請求権を放棄するには、親族会の同意を必要とするという旧法下の判決がある。現行法のもとでも、一二条三号の適用について意義をもっている。

【8】「被控訴人ノ有スル右減殺請求権ノ拋棄ハ不動産ノ権利ノ喪失ヲ目的トスル法律行為ニ外ナラサルヲ以テ親族会ノ同意ヲ要スヘキモノナルニ拘ハラス其行為当時親族会ノ組織ナク従テ其同意ヲ得サリシモノナルコトハ原審証人村上滝治ノ供述ニ依リ明カナルヲ以テ被控訴代理人カ本訴ニ於テ為シタル取消ノ意思表示ニ依リ右権利拋棄ノ行為ハ無効ニ帰シタルモノト謂ハサルヲ得ス」（東京控判大一〇・六・二九評論一〇民法六二五）。

(2)　相続開始前の放棄

明治民法時代は、遺留分権の事前放棄が認められるかどうかは問題であった。次に掲げる大審院判決【9】は、被相続人が生前に、家督相続人に対して、全財産の三分の一を与え、そのかわり、家督相続人は二分の一の遺留分を放棄するという契約を、家督相続人との間で締結したという事案で、この遺留分放棄契約の効力を認めた（契約の有効性が問題となる点は、遺留分権の放棄契約の部分であることは勿論である）。

【9】「本件当事者カ亡矢作長吉ノ子ニシテ兄弟ナルコト争ナキ所ニシテ原判決ノ認メタル長吉ノ生前ニ定メタル同人及本件当事者間ノ財産分配ノ契約カ遺留分ノ規定ニ反セリトスルモ当然無効ニアラサルノミナ

ラス原判決ノ認ムル所ニ依レハ上告人ハ家督相続人ナレトモ放蕩ニシテ家産ヲ蕩尽スルノ虞レアリトノ故ヲ以テ総財産ノ三分ノ一ノ分配ヲ受ケ其ノ余ヲ被上告人に帰属セシムルコトニ同意シ以テ二分ノ一ヲ受クヘキ権利ヲ抛棄シタルコト明ナルヲ以テ原審ニ於テ上告人カ甲第一号証記載ノ財産ノミノ分配ヲ受クル契約ヲ有効ト認メタルハ不法に非ス」（大判昭九・四・三〇法学三・一〇・一一九六）。

学説は、一般論としては、事前放棄を認めないという立場をとつていた。その理由は、あるいは、相続開始前には遺留分権利者は何らの権利をも有するものではなく、放棄の対象を欠くとか（谷口・遺留分八四頁）、あるいは、遺留分権は、不可侵的相続権であり、相続権の事前放棄を認めないわが法制では、遺留分権の放棄も認められないとする（近藤・相続下一一四六頁以下）ものであつた。たしかに一般論的には、家督相続下では、遺留分権は単に個人の権利というよりも「家」の権利であり、これを予め放棄することにより、被相続人に法定の自由分を超える財産処分の自由を認めることは家督相続の精神に反するものであつたし（中川篇・注釈相続二七七頁（山中））、それに、場合によつては、遺留分権利者の利益が不当に害される恐れもあり、更に、わが相続法は（新法・旧法ともに）、将来の相続に関する契約その他の法律行為を認めない立場に立つており、明文の規定が存在しないかぎりは、解釈論としては、放棄を許さずとするのが正当であつたと考えられる（フランス相続法も予めの放棄を許さないとしている。その理由は、将来の相続に関する pacte を認めないとする趣旨と、相続開始前には、何らの権利も存在しないという理由があげられている。Planiol et Ripert, Traité pratique de Droit civil francais, n°28）。

しかし、一般論をはなれ、本判決にのみ視界を限定してみると、ここでは、放棄契約の動機として、家督相続人が放蕩で、相続財産を蕩尽するおそれがあるという事情が存在し、むしろ、契約の有効性を認めることが、家督相続の精神に合するという点が注目される（本判決は、重要な意義を有するに拘わらず、判例集に登載されていない。上述の特殊事情がこの結論におもむかせており、従つて、先例的判決たらしめることを妥当ならずとするのであつたのであろうか）。そこで、中川教授は、一応、学説の一般論を肯定された上で、場合によって、事前放棄が少しの弊害がなく、かえって大いに法定相続主義の根本精神を生かすゆえんとなる場合もあるとされ、画一的に有効無効を決するのでなく、各場合の具体的事情を計算に入れ、信義公平の原則に従って有効性を決すべきとされる。そして、本判決が縁由の正当性を承認することによって有効を論断したことは、思慮周密なる態度というべきとされた（総評二巻五三頁以下）。

これに反して、新法は一〇四三条で、家庭裁判所の許可をうけたときに限りなしうるものとし、争いの余地はなくなった。遺留分権利者の正当な利益を害するおそれは許可の段階でしやだんされるし、新法下の遺留分権はまさに個人的な権利であり、自発的な放棄そのものをおさえる理由はない。ただ、制度の運営いかんによっては、旧法下の養子単独相続に逆行するおそれがあり、新法の持分相続の理念に反する結果となる。従って、許可の基準が問題である。次の審判は、許可しなかった一例である。

【10】「申立人は被相続人夫に対する遺留分の放棄許可を求めるというのであって、その理由とするところは、申立人は現在息子たちの扶養をうけており、今後の生活に不安がないから被相続人夫に対する遺留分放棄の許可を求めるというのであるが、申立人の申立は被相続人の発意に出たものであり、殊に配偶者相続権の確立並びに諸子均分相続の理念に反するところがあるので、……」（東京家審昭三五・一〇・四家裁月報一三・一・一四九）。

(3)　遺留分権・減殺請求権放棄の効果

（イ）　相続開始前の遺留分権の放棄の効果

当然に、相続開始後に、放棄の限度で、遺留分権を発生せしめない。相続が開始しても減殺請求権発生の余地はない。ところで、他の共同相続人に対する関係であるが、わが民法は、遺留分と自由分の割合は、遺留分権利者の数と無関係である立場をとっているので（一〇二八条参照）、特別の規定がなければ、遺留分権利者数人存在する（共同相続）場合には、自由分に変動がなく、他の遺留分権利者のとり分が増大するという結果をまねく。それでは、遺留分放棄の制度の趣旨（農地の零細化を防ぐためと説明されている。中川・大要三〇七頁以下）に反する。そこで民法は、他の共同相続人に対して何らの影響も与えないとした（一〇四三Ⅱ）。従って、放棄の範囲で、被相続人の自由分が増大する（中川・大要三〇九頁、柚木・判相四一一頁、青山・相続二五六頁）。

次順位相続人に対する影響はどうであろうか。たとえば、唯一の第一順位相続人が遺留分を放棄し、その後に死亡したとか、相続開始後に相続の放棄をした場合に、次順位相続人（遺留分権利者）にどのような影響を与えるかの問題である。【11】は放棄の場合について次順位相続人の遺留分になんらの影響を与えないとした。

【11】 唯一の推定相続人（被相続人の子）Aが被相続人Bの生前に遺留分の放棄をし、相続開始後に相続の放棄をした。そこでAの子X_1～X_4が相続をした。しかし、Bは全財産をYに遺贈した。そこで、X_1～X_4が減殺請求をしたという事件である。問題となっている点は、多岐にわたるが、本問に関する部分だけを抜き出すと、

「被告（Y）は原告等（X_1～X_4）の母であるくみこ（A）が亡たつこ（B）の生前既に自己の遺留分を放棄して居るから、その子である原告等（X_1～X_4）にも侵害せらるべき遺留分は存しないと主張するけれども、原告等（X_1～X_4）はたつこ（B）の直系卑属たる自己固有の資格に於て相続人となつたもので、くみこ（A）の代襲相続人でないことは既に述べた通りであるから、くみこ（A）の遺留分放棄が原告等（X_1～X_4）の遺留分に何等の影響を及ぼし得ないこと勿論で、此の点に関する被告（Y）の主張は失当である」（東京地判昭三四・五・二七判時一九〇・二八）。

権利ないし利益の放棄によつて、他の者の利益までも喪失せしめるということは、一般論として認められないことは当然である。もつとも、一たん被相続人の得た自由分の拡大という利益が喪失することになるが、そもそもが、遺留分放棄の反射的利益であるからやむを得ないであろう。もし、遺留分の放棄に、なんらかの対価が結合しておれば、それは別箇に考えらるべきである。次順位相続人の遺留分権をも消滅させる理由はないと思う。ただ、本件の場合、次順位相続人というのが、放棄者の子であり、一度なした遺留分放棄の効果をくつがえすために、相続開始後に、相続の放棄をしたという印象をぬぐいえず、疑問がある。しかし、現在では、昭和三七年法四〇号の改正により、孫は常に代襲相続人として相続しうるのであり（八八七参照。加藤「民法の一部改正の解説二」ジュリスト二五〇号、三〇頁以下）、しかも、放棄の場合には、代襲相続し得ないのであるから（八八七Ⅱ）、かような心配は消滅したといつてよいであろう。

問題は少し異なるが、放棄者が、相続開始前に死亡し、代襲相続が開始した場合は、どのように解すべきであろうか。上述した「次順位相続人」に影響を与えないという理論は、代襲相続の特殊性から変更さるべきではないかという疑問を感ずる。代襲相続の性質から、事を論ずべきであるが、それ自体一つの大きな問題であり、ここで詳論することは妥当を欠く。しかし、少なくとも、制度の趣旨からみて、代襲者は被代襲者が生存しておれば、取得するであろう相続権以上の権利を取得するはずはなく、しかも、取得するであろう相続権は、遺留分権の欠けたものなのであるから、代襲者の相続権も、遺留分権の附着していないものとして解するのが、正当ではなかろうかと思う（【11】は、X1〜X4がAの代襲相続人でないとした上で、彼等の遺留分に影響を与えないといっているところからみると、傍論としてかかる趣旨を述べているもののようである）。

（ロ）　相続開始後の遺留分権放棄の効果　個々的な減殺請求権を包括的に失う。他の共同相続人に影響を与えないとする一〇四三条二項は、この場合にも適用される（青山・相続二五六頁、川島・民法(三)二一五頁、我妻＝立石・親族相続六五五頁）。

（ハ）　減殺請求権の放棄　他の無償処分行為に対して何らの影響も及ぼさない（中川編・注釈(二)八〇頁（山中））。従つて、他の無償処分行為の減殺さるべき範囲が拡大したり、遺留分を侵害していない処分行為が、あらたに減殺の対象となつたりすることはない。

【12】「減殺権ノ抛棄ハ其抛棄シタル限度ニ於テ絶対的ニ減殺権ノ範囲ヲ縮少スルノ結果ヲ生スルモノニシテ吉勝ニ対シ減殺権ヲ抛棄シタル部分ニ相当スル金額ニ付キ他ノ受贈者ニ向ツテ減殺請求ヲ為シ得ヘキモノニアラサレハナリ」（名古屋地判大五・六・二〇新聞一一七〇・二八）。

減殺請求権の放棄は、その範囲で、基本権たる遺留分権の消滅をきたし、遺留分権が減縮したとみるべきであろう。

(三)　遺留分権の濫用

遺留分権も私権の一つとして権利濫用の法理の適用がありうる（一Ⅰ）（もつとも、具体的には、減殺請求権の形をとるから、減殺請求権の濫用ということになる）。相続法は形式的であり、具体的な事情によって合理的な相続関係を形成するという余地は非常に少ない。遺留分法についても同様である。被相続人の家族であるということだけで、一定量の遺留分が与えられる。遺留分制度の目的をどのように考えるかは別として、ともかく、その行使が、むしろ逆にその目的に反する結果をまねくことも往々にしてある。判例のなかには、従来、贈与についての加害の認識の認定といつた別の問題領域で、この矛盾を調整しているのがある（たとえば【16】【17】【21】のごとし）。しかし、これにも限界があるのであり、ここに権利濫用の法理が働く余地がかなり認められるのである。しかし、これを認める判決の姿をごく最近まで認めることができなかった（他の問題のなかで解決されていたわけである）が、下級審判決ではあるが、最初のものとして、【13】が注目される。

【13】「控訴人（遺留分権利者—筆者注）は昭和二年二月三日弥吉（被相続人—筆者注）夫婦との養子縁組届出をしその養子となつたが、弥吉に協力し養家をもりたてていく気持が乏しく、家業の農業も怠りがちであつたため、弥吉との折合いもとかく円満を欠き、そのうえ当時の経済不況も重り、養子縁組当時弥告の所有していた約二町歩の自作田も昭和一五年二月当時にはその大半が他人の手に移つたのみならず、弥吉はかなりの借財を負担するに至つたので、控訴人は、昭和一五年二月頃窮迫した養家に見切りをつけ、養家から別個に世帯を設けて自己の恩給と成長した子供の働きとにより生活することを決意し弥吉夫婦や親族等の熱心な引留めもききいれず、養家の財産は一切いらないと言明し、当時満六二才の養父弥吉と満五八才の養母チヨをあとに残したまま、妻子を連れて養家を立ち去り、以後、養父母を扶養したことのないのはもちろん、養家との交際も全く絶ち、他人同様の関係にあり、弥吉死亡の通知を受けながら、その葬儀にすら出席しなかつた。他方、養家では控訴人が立ち去つたため働き手を失い、家業の農業の継続はもとより生活の維持すらあやぶまれる事態に立ち至つたので、親族相寄り協議した結果、弥吉の分家筋にあたる弟伊藤弥助の長男被控訴人（受贈者—筆者注）を弥吉家に迎えいれることになつたので、被控訴人は昭和一五年四月頃から弥吉夫婦のために農業に精進し、その扶養に勉め、弥助の援助を得て、弥吉の借財も整理し、弥吉家の再建に努力してきた。そこで、弥吉は、その一切の財産を挙げて被控訴人に贈与し、夫婦の老後と祖先の祭祀を同人に託し、被控訴人は弥吉をその死亡までみとりその葬儀を営み、現にチヨを扶養していることを認めることができ、原審証人加藤政治の証言および原審における控訴本人の供述中右認定に反する部分は信用できず、他に右認定を左右するに足る証拠はない。

右認定事実によると、控訴人は養家の窮迫時に、その窮迫について自己も一半の責任を負つているにかかわらず、身勝手にも、老令の養父母を見捨てたもので、養親子間の信頼関係を破壊する不信行為というべく、しかも、控訴人は、養家の財産は一切いらないと表明して養家を立ち去り、以後全く養子たるの実質を失いながら、本訴請求をするのであつて、亡弥吉に対しても、事実上養子的立場にある被控訴人に対しても、信義にそむく行為であり、また養子とは名ばかりの控訴人の本訴請求は遺留分制度の趣旨にもとるものと認むべく、さらに、本訴請求は、専ら被控訴人の努力、精進により建直された弥吉の財産の分配を受けることに帰するのであるから、養家の窮状を傍観しその再建になんらの力もかさなかつた控訴人に本訴請求を許容することは、衡平の原則にも反する。してみると、本請求は、権利の濫用であると認めるのほかなく、許されないものといわねばならない」（仙台高秋田支判昭三六・九・二五下級民集一二・九・二三七三）。

谷口教授（「遺留分」一八五頁）は、旧法時代に、遺留分権は親族的感情を基礎とし、家を維持し、子孫や親族に相当の生活を確保しようとするために認められたのであるから、その目的に背反するごとき事情があれば、権利の濫用とする必要が生ずるとされる。もちろん新法下では、新たなる角度から考えねばならない。しかも、両当事者間の利益衡量ということも、新しい濫用理論のもとで考えねばならない。もつとも、ここでは一般論はひかえ、本判決で、権利濫用とされた事情を検討してみることとする。

遺留分権利者（控訴人）は、被相続人の養子であるが、養家をもりたてる気持がうすく、養家が経済的に窮迫するや、養親をあとに残して、養家を立ち去り、相続開始までに一五年以上経過している。受贈者（被控訴人）は、そのあとに迎えいれられた者であり、被相続人夫婦を扶養し、家業の農業に従事し、被相続人の家を再建してきた。このような事情の下で、贈与が行われたと認定されている。このような事情の下では、養子は、養子として形式的には遺留分権利者であるが、まさに形がいのみの遺留分権利者である。離縁という手続がとられていないゆえに（悪意の遺棄として離縁原因が存在していた（八一四Ｉ１））、形式上は養子縁組が存在しているが、十五年以上にわたつて事実上親子関係らしきものはなく、事実上の離縁状態にあつた。逆に、受贈者と被相続人との間には、事実上の養子縁組とも目すべき関係が存在している。遺留分権利者としての第一の資格である被相続人の家族という面からみて、むしろ逆なのである。次に、遺留分制度の目的からみても、同様である。もつとも、判決理由の表面から受ける印象は、かなり旧法的で、被相続人の家の維持という意図がかなりはつきりとみられる。事件が、農村であることをみると、やむをえないかもしれない。しかし、新法の精神である、被相続人の財産に依存して生活していた者を保護するという観点からみても、同一結論に到達する。遺留分権利者は、自己の恩給と、成長した子供の働きにより生活することを意図し、養家を立ち去つてから一五年以上を経過している。保護の必要性はほとんどない。逆に、受贈者は自己の生活をその財産の上に築いているものであり、しかも、形式上は、被相続人に帰属していたが、実質上は、その殆んどを、受贈者みずから築いたのである。形式的な遺留分権帰属を合理的に解決する手段とし、権利濫用の法理は、遺留分制度の領域でも、極めて重要な意味を持つている。

三　遺留分の算定

一　総　説

遺産に対する遺留分と自由分の割合(一〇二八)、遺留分権者数人の場合の各遺留分権利者の個人的遺留分の割合(一〇四四による九〇〇 3・九〇一 Iの準用)はそれぞれ法定されている。遺留分の抽象的割合は、遺留分権利者の確定によって、あとは、簡単な算術的操作で決定される。しかし、被相続人のなした無償処分によって遺留分が侵害されたか、されたとすればどの範囲で、従ってまた、いかなる範囲で減殺しうるかという現実の問題となると、このような遺産に対する抽象的割合額のみにては解決しない。遺産は通常、複雑な権利・義務から構成され、しかも、遺留分はそれぞれの財産の二分の一、あるいは、三分の一といった割合でないのであるから、遺産を価値的に評価し、遺留分も単なる抽象的割合でなく、具体的な価値の量として(金何円といった)算定されねばならない。ゆえに、具体的な遺留分減殺の前提問題としての遺留分の算定にあたっては、遺留分権利者が受けうる遺産の抽象的な一定割合額の計算と、遺留分額算定の基礎となる財産額(遺産額——もっとも正確な意味での遺産でないことは、三以下参照)の決定という二つの計算上の操作を必要とする。そして、かかる二つの操作を基とし、財産額を割合額で割ることによって、具体的な遺留分額が算定されることになるのである。そして、次に、遺留分権利者が、被相続人から、贈与ないし遺贈をうけた場合、その額を、遺留分から差引くか、それとも、それが自由分の範囲内である限り、差引かず、それとともに、遺留分全額を受けるのかという問題がある。殊に、遺留分権利者数人の場合には、特に複雑な関係を生ずる。以下、順を追って述べていくこととする。

二　遺留分の割合額の計算

簡単な算術的計算で決定されるので、法律的に問題となる余地はほとんどない（遺留分権利者の数によつて、遺留分の割合が異なる法制のもとでは、相続放棄者・相続欠格者のごとき者を含めて計算するかの問題があるが、わが法制の下ではかかる問題は生じない。高木・遺留分権利者の法的地位四三三頁以下参照）。ゆえに、判決もほとんどなく、旧法時代の一下級審判決【14】があるのみである。以下、各場合について紹介する。

（一）直系卑属のみが、遺留分権利者の場合　遺留分は、遺産の二分の一である（一〇二八1）。遺留分権利者数人の場合には、各人の遺留分は、相続分の規定に従って配分されることとなる（一〇四四・九〇〇4・九〇一1）。旧法時代の遺産相続における遺留分の配分の方法もまったく同じであった（明民一一四六・一〇〇四・一〇〇五）。

【14】「遺産相続人タル直系卑属ハ被相続人ノ財産ニ付キ其ノ半額ヲ遺留分トシテ受クル権利ヲ有シ、同順位ニ在ル直系卑属数人アルトキハ各自ノ遺留分ハ相均シキ割合ニシテ、其ノ子女ハ又其ノ直系尊属ノ受クヘカリシ遺留分ヲ享クル権利ヲ有……」（東京地判昭五・五・一四新報三六四・一九）。

具体的には、次のようになる。

（イ）たとえば、ABCの三人の子がいるときには、均分して（一〇四四・九〇〇4本）、各々、六分の一（$\frac{1}{2}\times\frac{1}{3}=\frac{1}{6}$）の遺留分を有することとなる。

（ロ）三人の子のうち、たとえば、Cが非嫡出子であるときは、非嫡出子の遺留分は、嫡出子のそれの二分の一であるから（一〇四四・九〇〇4但）、次のようになる。ABの遺留分は、五分の一（$\frac{1}{2}\times\frac{2}{2+2+1}=\frac{1}{5}$）、Cのそれは、十分の一（$\frac{1}{2}\times\frac{1}{2+2+1}=\frac{1}{10}$）

（ハ）　代襲相続人の割合額は、その者の相続分に関する規定が準用され（一〇四四・九〇一Ｉ）、被代襲者の遺留分が代襲者の遺留分となるか、代襲者が数人いるときには、次のようになる。

(a)　たとえば、設例（イ）の場合で、Ｃの子（三人とする）に代襲相続が開始したとする。各々は、Ｃの受くべき遺留分（六分の一）を均分し、十八分の一 $\left(\frac{1}{6}\times\frac{1}{3}=\frac{1}{18}\right)$ の遺留分を有する。

(b)　設例（ロ）の場合で、Ａ又はＢの子（各々三人とする）に代襲相続が開始したとすると、それぞれ十五分の一 $\left(\frac{1}{5}\times\frac{1}{3}=\frac{1}{15}\right)$ Ｃの子（三人とする）について生じたとすると、それぞれ、三十分の一 $\left(\frac{1}{10}\times\frac{1}{3}=\frac{1}{30}\right)$ となる。

（ニ）　設例（ハ）(a)の場合で、代襲相続人のうち一人が非嫡出子であれば、（ロ）の計算方法にならつて、嫡出子たる代襲相続人は、十五分の一 $\left(\frac{1}{6}\times\frac{2}{2+2+1}=\frac{1}{15}\right)$ 非嫡出子たるそれは、三十分の一 $\left(\frac{1}{6}\times\frac{1}{2+2+1}=\frac{1}{30}\right)$ となる。（ハ）(b)の場合に於ても、考え方は同じである。

（二）　直系卑属及び配偶者が相続人であるときは、遺留分は、被相続人の財産の二分の一である（一〇二八条一号）。彼等の間の配分は、相続分の規定による（考え方は(1)の場合と同じ）。直系卑属と配偶者の間では、直系卑属三分の二、配偶者三分の一の割合で配分する（一〇四四条・九〇〇条一号）。故に、直系卑属は、三分の一 $\left(\frac{1}{2}\times\frac{2}{3}=\frac{1}{3}\right)$（直系卑属間の配分は(1)参照）、配偶者は六分の一 $\left(\frac{1}{2}\times\frac{1}{3}=\frac{1}{6}\right)$ である。

（三）　その他の場合は、遺留分は、被相続人の財産の三分の一である（一〇二八条二号）。次のような場合が考えられる。

（イ）　直系尊属のみが、相続人のとき。数人いれば、均分する（一〇四四条・九〇〇条四号）。例えば、父母二人のときは、それぞれ六分の一 $\left(\frac{1}{3}\times\frac{1}{2}=\frac{1}{6}\right)$ である。

（ロ） 直系尊属と配偶者が相続人のとき。それぞれに、二分の一ずつ配分する（一〇四四・九〇〇2）。故に、直系尊属は六分の一 $\left(\frac{1}{3}\times\frac{1}{2}=\frac{1}{6}\right)$（数人いるときの配分は（イ）参照）、配偶者も同じく、六分の一 $\left(\frac{1}{3}\times\frac{1}{2}\right)$ である。

（ハ） 配偶者だけが、相続人のとき。

（ニ） 配偶者と兄弟姉妹が相続人であるとき。兄弟姉妹には、遺留分権がないから、配偶者だけが、三分の一の遺留分を有する。

三　遺留分算定の基礎となる財産

次に、具体的な遺留分額の算定の基礎となる財産額の決定が問題となる。まず、第一に遺留分の基礎財産の範囲を確定し、ついで、その評価を必要とする。

（一） 遺留分基礎財産の範囲の確定

一〇二九条一項は、「遺留分は、被相続人が相続開始の時において有した財産の価額にその贈与した財産の価額を加え、その中から債務の全額を控除して、これを算定する」と定めている。すなわち「相続開始の時に在した財産」＋「贈与財産」－「債務」＝「遺留分算定の基礎たる財産」である。遺留分は、遺産の一定割合であるが、この場合の遺産は、相続開始時に、被相続人に帰属し、相続人に承継される権利・義務の総体（相続財産）を意味しない。遺留分基礎財産と相続財産の範囲は、一致するものでない。まず第一に、贈与の減殺をも認めたからには（一〇三一参照）、これも、当然算入されることとなる。遺贈についても、それが、遺留分基礎財産を構成することは問題ないが、遺贈の効力を物権的に解する限りは、それは、遺産を構成するものでないから、贈与と同じく、算入されることとなる(中川編・注釈下二二一頁(島津)、高梨「遺留分の算定」法セ四八号二九頁)。算入・減殺の対象たりうる処分行為(一〇三〇・一〇三一・一〇三九参照)なかりせば、相続開始時に存在したであろう遺産が、遺留分基礎財産を構成するわけであり、結局、相続開始時に存在した遺産に、観念的擬制的になされる処分財産の持戻しをなしたものが、遺留分基礎財産となるのである。

それから、遺留分は、実質的な価値なのであるから、たとえ形式的には、遺産を構成する権利であっても、たとえば、回収不能の債権のごときは除外される(Voy., Planiol et Ripert, op. cit., n° 56)。逆に、相続と同時に、消滅する権利でも、たとえば、被相続人が相続人に対して有していた債権が、相続と同時に混同により消滅するような場合でも、実質的には、遺産を構成するものとして算入しなければならない(Voy., Planiol et Ripert, op. cit., n° 54)。要するに、相続財産を構成するかどうかは、相続開始時に、被相続人に帰属していたかどうか、相続人に承継可能かどうかといった観点から、むしろ、形式的に判断されるのに対して、遺留分基礎財産は、実質的に、遺産を構成する実質的価値であるかどうかの観点から判断されなければならない。かかる点からみれば、債務を控除すべきは当然である。これを控除して、はじめて、遺産の価値が決定されるからである。この点、積極財産と債務が別々に分割の対象となる遺産分割の前提としてなされる相続分の算定とは異なる。それでは、遺留分基礎財産に算入される財産について、一つ一つあたつてみる。

(1)　相続開始の時において有した財産

(イ)　正確には、相続人に承継された積極財産、すなわち、相続財産中の積極財産を意味する。

ゆえに、系譜・祭具・墳墓等は、相続財産を構成しない(八九七)のであるから、除外される(中川編・注釈下二二一頁(島津)、青山・相続二六〇頁、柚木・判相四一六頁、我妻=立石・親族相続六三五頁等)。しかし、相続財産を構成しないものでも、前述したごとく、混同によって消滅する債権も、相続人側の債務が消滅するという意味において、実質的な利益が相続人に生じているのであるから、含めねばならない。逆に、形式的に存在する債権であっても、債務者の支払不能による債権回収不能の場合は含めない。もっとも、受贈者・贈与者のほうで、相続人に確実な担保を提供すれば、含めるべきであろう。債権の回収が疑わしい場合、一部弁済しか期待できない場合は、もちろん、評価の面で解決されねばならない。条件付権利ないし、存続期間の不確定な権利は、家庭裁判所の選定した鑑定人の評価に従って算入するものと立法的に解決している(一〇二九Ⅱ)(フランスでは、条件付債権は、なんらの価値なきゆえに算入すべきにあらずとされ、解除条件付権利は、逆に算入すべしとしている。Planiol et Ripert, op. cit., n°56)。

(ロ)　遺贈については、民法起草者(二〇一回法典調査会における富井政章委員の発言(第二〇一回法典調査会議事速記録三二丁)参照)も、学説(中川・大要三一一頁、柚木・判相四一六頁、中川編・注釈下二二一頁(島津))も、当然に相続開始時に現在する財産として、考えている。しかし、前述したごとく、遺贈について物権的効力説をとれば、相続財産から離脱したものとして取扱わねばならない。しかし、いずれにせよ、結論的には、相違を生ぜしめる余地はなく(中川編・注釈二二一頁(島津))、しかも、遺言の成立の時期を問わない(かつて、物権的効力説にたてば、遺贈について贈与に準じた加算をすべしといったが(高木「遺留分の算定」家族法大系Ⅶ二六一頁)、それでは、贈与のごとく行為時によって算入が左右される(【15】参照)がごとき印象をうけるので、かかる表現は適当でないと思う)。なお、参考までに、フランスでの処理を紹介すると、遺贈は、その種類を問わず、遺言者死亡と同時に物権的効力が生ずるとしているが(Planiol et Ripert, op. cit., n°636)、同時に、"biens existant au décès"(フ民九二二)中に含まれるとされている。日本民法上の「相続開始の時において有した財産」の概念は、フランス民法

上の "biens existant au décès" の語を借りてきたものと思われるが、フランスでは、"biens existant au décès" とは、"tous ceux trouvés dans le patrimoine en moment précis de la morte" (Planiol et Ripert, op. cit., n°54) から成り立っているといっており、法律的帰属よりもむしろ、事実的関係に立脚しているものと解される。日本民法の解釈としても、必ずしも、厳密に相続財産として、相続人に承継された権利として考える必要なく（もつと、実質的に考えるべきことは、混同によつて消滅する債権のごとき取扱いによつて明確に出ている）、物権的効果・債権的効果のいかんを問わず、現存財産として考えてよいであろう。

（八）　生前贈与についても問題がある。一般に生前贈与の対象たる財産は、相続開始時に現存する財産でないことはあきらかであるが、しかし、債権的贈与契約のみなされ、相続開始時にまで、物権的効力の生じていないものとか、条件付贈与契約がなされ、また、条件が成就していないときには、贈与財産は相続財産中に存在している。ところで、もし、生前贈与のすべてが、算入されるのであれば、どちらのカテゴリーに入れても、算入という点では同じ結論が生じることとなる。あとは、減殺の順序において、行為時を基準とするのか、それとも効力発生時であるかを問題とすればよい。しかし、生前贈与は、原則として一年前のものに限り、算入され、減殺の対象となる(三〇)。もし、このような贈与を、贈与財産がまだ、相続財産中に帰属しているということから、現存財産のカテゴリーに入れるとすれば、当然に算入され、減殺の順序も、遺贈と同じ取り扱いとなる。ことに、債権契約ないし条件付贈与契約が一年前になされていた場合にはつきりした差が生ずる。【15】は、相続開始一年前に停止条件付贈与契約がなされ、一年内に条件が成就した場合に、いつを基準とすべきやを論じたものであるが、この問題をも含めて、一年の算定基準について、行為時かそれとも、効力発生時かということに帰着するわけである。行為時を基準とするならば、生前贈与のカテゴリーに含ませるべきであるし、逆に、効力発生時を基準とするならば、現存財産のカテゴリーに含ませてよい。ところで、基準時の選定であるが、これは、減殺の順序の問題と結びつく。遺留分基礎財産に算入されるとは、減殺可能性の存在を意味し、算入の秩序と、減殺の秩序とは表裏をなしている。減殺の順序は、贈与・遺贈を時間的系列において、自由分を喰いつぶし、遺留分を侵食していつた順序に並べ、もつとも最近の遺留分侵害行為から、減殺する（一〇三三・一〇三五）。この順序は、同時に、減殺可能性、従つて又、算入の秩序でもある。このような観点から、生前贈与をみれば、たとえ、その効力の発生が後にのばされている場合でも、遺贈とは異なり、撤回が原則として自由でないのであるから（五五〇参照）、実質上は、行為時に財産が逸出しているとみるべきであり（条件付贈与契約については、少し問題があるが、結論的には同じに考えてよい【15】参照）、ゆえに、行為時を基準として位置づけるべきである。算入にあたつても同様である（【15】はこの結論）。結論的にいえば、生前贈与は、相続開始時に効力が生じていたかどうかを問うことなく、すべて、「生前贈与」のカテゴリーに含めしめ、債権的贈与契約ないし条件付契約が、一年前になされておれば、原則として算入しない（一〇三〇）とするのが正当である。

（二）　死因贈与はどのように取り扱わるべきであるか。民法は、遺贈に関する規定に従うとする（五五四）。学説は、場合によつては、遺贈あるいは、生前贈与として取り扱うものとしている（我妻・各論中（一）二三七頁、末川・各論二四頁等）。そこで、遺留分法において、いずれに取り扱うかが問題である。これによつて、算入においても（契約が一年前になされているものについて）、減殺の順序においても、大きな相違を生ずる。学説は一般に、五五四条を根拠として、遺贈と取り扱うとする（中川編・注釈下二二一頁、高梨・遺留分の算定二九頁、柚木・判相四二七頁等、なお、学説の大要については、広中「贈与」民演Ⅳ六八頁参照）。しかし、（八）においてのべたごとく、減殺の順序の秩序のなかでみなければならない。加藤（永）教授は、死因贈与にあつては、条件付権利（不確定期限付権利と思われるが）が受贈者に移転し、権利関係が確定している等の理由をあげられ、行為時を基準とすべきことを主張される（中川編・注釈相続下二四九頁）。それに対して広中教授は、効力発生時を基準とすべきとされ、遺贈と同一に扱うべきとされる（「贈与」六八頁以下）。教授は、同じく処分者の死亡によつて、効力を生ずる死因贈与が遺贈と同様に扱われないのは不合理であるとされるのである。しかし、遺贈が真つ先きに減殺されるのは、遺贈が、いつでも撤回し得るのであり、従つて、効力発生時（死亡時）において、確定的に遺留分侵害行為となり、しかも、それとして最も新しいからである。しかし、死因贈与は、生前贈与と同じく、原則として自由に撤回し得ないのであり（五五〇）、行為時において、遺留分侵食行為がなされている（現実化するのは将来であるが）とみるべきである。又、生前贈与については、行為時を基準とすべきであり、学説も一般にこれを認めているが（近藤・相続下一一八頁、中川編・注釈下二三九頁（島津））、死因贈与についてだけ、効力発生時を基準とし、遺贈と同一視することは筋が通らないと思う。

(2)　贈与財産

次に、贈与財産を加算する。加算は、遺留分の算定上なされる擬制的（fictif）（Planiol et Ripert, op. cit., n°59）なものであり、ゆえに、それが、減殺の対象となり、取り戻されるということとは同一でない。減殺は、遺留分の侵害があつたとき、一定の法則（一〇三三以下）に従つてなされるのであり、従つて、別箇の事柄なのである。もっとも、加算の対象たる贈与は、減殺の対象たりうるものなのである。

では、如何なる贈与が加算されるかを次に述べる。

(イ)　相続開始前一年間になした贈与(一〇三〇条前段)　かかる贈与は、当然に算入される。ここで「なされた」とは、贈与契約がなされたということを意味し、一年前になされているときには、その履行が一年間になされていても、ここに含まれない。又、贈与行為時と物権的効力発生時が一致している場合は、問題ない。たとえ、一年内に履行がなされても、ここに含まれない。問題は、両時期がずれ、一方は一年前に、他方は一年内という場合である。物権的効力が、相続開始後に生じた場合については、前述したが、問題は同一である。基準時は行為時である。ゆえに、債権的贈与契約あるいは停止条件付贈与契約が、相続開始一年前になされ、物権的効力あるいは条件成就が一年内に生じた場合も、前述した相続開始後に生ずる場合と同じく、一年間になされた贈与のうちに含まれない。

【15】は、停止条件付贈与契約について、この理をとくものである。

【15】　被相続人Aが不動産(農地)を、甥Y(被告・被控訴人)に、昭和二五年二月七日に、県知事の許可を停止条件として贈与した。昭和三〇年八月九日頃許可を得た(昭和三一年三月六日登記)。昭和三一年六月九日に相続が開始した。これを、算入するかについて争われた。

「民法第一〇三〇条にいわゆる相続開始前の一年前にした贈与にあたるかどうかは、停止条件附で贈与の意思表示がされた場合であると否を問わず、贈与の意思表示がされた時を標準として判断すべく、その意思表示の時期が相続開始の時より一年前であるときは、相続開始前の一年前にした贈与であると解するのが相当である」(仙台高秋田支判昭三六・九・二五下級民集一二・九・二三七三)。

ただ、停止条件付契約にあっては、債権的贈与契約の場合とはことなり、条件が成就しない限り、物権的効力を期待しうべくもなく、しかも、条件成就は成否未定なのであるから、行為時において、将来、現実化する遺留分侵食行為がなされたとみて、行為時を基準としうるかは、少し問題である。しかし、当事者に、期待権を与え、法的保護をはかっている民法の態度(一一二八・九)からみれば、肯定してよいと思う。受贈者の側からみても、相続開始一年前から、期待権をもっていたのであるから、算入をせず、従って、減殺の対象からはずすのが正当である。

(ロ)　遺留分権利者を害することを知ってなした贈与(一〇三〇後)　一年前になされた贈与でも、当事者双方が、遺留分権利者に損害を加えることを知ってなされた場合には、その価格を算入する。

(a)　問題は、「損害を加えることを知って」の意味であり、又、いかなる事情の下でその存在を認めることができるかである。

今日の大体において確定した理論は、単に損害を加えるという認識、換言すれば、客観的に遺留分権利者に損害を加うべき事実関係を知っておればたり、遺留分権利者を害する目的、あるいは意思を必要としない。そして、損害を加うべき事実関係の認識ありというには、贈与が、自由分を超え、遺留分を侵害するという事実の認識があり、更に、将来において、被相続人の財産が増加することがないという予見を必要とすると(近藤・相続下一一一九頁、谷口・遺留分一八七頁、中川編・注釈下二二九頁(島津)、青山・相続二六一頁、我妻＝立石・親族相続六三七頁、【21】諸評釈、なお、柚木教授はやや異なった態度をとられる(後述))。この理論は、判例が形成してきたものであり、以下、その過程を紹介する。

まず、判例は終始、認識をもって足りるとし、当事者の加害の目的・意思を要求しない。もっとも、古き大審院判決中に「贈与カ遺留分権利者ニ損害ヲ加フルノ故意ヲ以テ為サレタル……」【5】との表現がみられ、あたかも、加害の意思を必要とするかのごとき印象をうけるものがあるが（来栖・判民昭和一一年八三事件参照）、これは、減殺請求権の効果として生ずる所有権移転の仮登記を相続開始前になしうるかというのが、事案の中心であり、その理由中にみられる傍論であつて、この部分については、判例としての意義を有しない。

　ところで、最初に真正面からこの問題を論じ、認識をもつて足りるとしたのは、昭和四年六月二二日大審院判決であり【16】、この点でのリーディングケイスとなつている。

【16】　X（原告・控訴人・上告人）の先代被相続人（女戸主）Aが、昭和二年六月二一日に隠居して、X（Aの私生子）が家督相続をした。ところが、明治四一年三月三一日にAは、兄Y（被告・被控訴人・被上告人）に、八五万八四〇九円六銭の財産を贈与していた。Xが相続した財産は、五万二五一九円四〇銭である。そこで、Xは、この相続財産に贈与財産を加算し、相続開始時に存した債務を控除して、その半額を遺留分とし、遺留分侵害額について、減殺請求をなし、財産返還の請求（土地所有権登記抹消請求）をした。原審は、贈与時の事情について、①贈与当時Aは夫を有せず、又、家督相続人も存在しなかつたこと（Xは贈与後に生れた私生子）②YはAの長兄で、本来はXの先々代の家督相続人であつたが、家督相続を辞退し、その結果、Aが家督相続をし、そして、Aが、その財産を、本来は家督相続人であつたYに贈与し、そして又、YからAが、又、他の兄弟と共に、其の財産の一部の分与をうけたという複雑な事情を認定している。そして、その上にたつて、AY共に、遺留分権利者に損害を加うるの意思がなかつたと判断した。

「右贈与当時マス（A）ハ夫ヲ有セス又家督相続人モ無カリシコトハ当事者間ニ争ナキ所ニシテ且ツ成立ニ争ナキ甲第七、八、九、号証乙第一及至五号証トヲ綜合スレハ本来被控訴人巳三郎（Y）ハ控訴人先代マス（A）ノ長兄ニシテ控訴人先々代金衛ノ家督相続人タリシヲ被控訴人（Y）カ家督相続ヲ辞退シタルニ依リ一タヒ金衛ニ於テモ親族等ト相計リ之ヲ廃嫡シタル結果金衛死亡後控訴人先代マス（A）カ家督相続ヲ為シタルモノニシテ同人ニ於テハ本来相続人タルヘカリシ被控訴人（Y）ニ家督及財産全部ヲ譲リ自分ハ更ニ被控訴人（Y）ヨリ他ノ兄弟タル唯信、熊太郎ト共ニ其ノ財産ノ一部ノ分与ヲ受クヘク美シキ孝悌ノ道義ニ基キ該贈与ヲ決行シタルモノニシテ控訴人先代マス（A）ニ於テモ又被控訴人巳三郎（Y）ニ於テモ其ノ遺留分権利者ニ損害ヲ加フルコトノ意思ナカリシコトヲ窺フニ足ル」

Xは、上告理由として、原審が、いわゆる遺留分権利者に損害を加うることを知りてなしたる贈与とは、遺留分権利者に損害を加える意思をもつてなしたる贈与の義と解していること、贈与当時、Aに家督相続人がなかつたことから、遺留分権利者を害する意思がなかつたことを理由としていることを批難したのに対して、上告審判決は、抽象論としては、これを承認した上で、原審が、「意思ナカリシ」ものと判断した事実関係をもつて、そのまま、「認識の欠如」の判断の資料になるとした。

「案スルニ民法第千百三十三条ハ相続開始ノ時ヨリ一年前ニ為サレタル贈与ト雖当事者双方カ遺留分権利者ニ損害ヲ加フルコトヲ知リ乍ラ敢テシタルモノナルトキハ遺留分ヲ定ムルニ際シ其ノ価額ヲ算入スヘキモノナルコトヲ規定セルカ故ニ其ノ算入ヲ為スカ為ニハ当事者双方カ遺留分権利者ニ損害ヲ加フルコトヲ認識シ乍ラ其ノ贈与ヲ為シタルヲ以テ足リ特ニ遺留分権利者ノ権利ヲ害センカ為ニ為シタルコトヲ必要トセサルハ勿論縦令贈与当時贈与者ニ法定ノ推定家督相続人ナク将来何人カ遺留分権利者トナルヘキヤヲ知ルコトヲ得サルコトヲ得サル場合ト雖苟モ当事者双方カ遺留分権利者ト為ルヘキ者ニ損害ヲ加フルコトヲ知リ乍ラ贈与ヲ為シタル以上其ノ贈与ノ価額ハ遺留分ヲ定ムル際算入セラルヘキモノトス原判決ヲ査スルニ「控訴人ハマスノ被控訴人ニ対スル贈与ハマス及被控訴人ニ於テ遺留分権利者ニ損害ヲ加フルコトヲ知リテ為シタルモノナリト主張スルモ控訴人提出援用ノ証拠ニ依リテハ右主張事実ヲ認ムルニ足ラサル」旨説示シアルカ故ニ之ニ依ルモ原審ハマス（A）及被上告人（Y）カ贈与当時遺留分権利者ニ損害ヲ加フルコトヲ知リタルヤ否

ヲ標準トシテ其ノ贈与ノ減殺セラレルヘキモノナリヤ否ヲ決シタルモノニシテ特ニ遺留分権利者ニ損害ヲ加ヘンカ為ニ為シタル場合ニ非サレハ減殺ヲ許ササルモノト為シタルニ非サルコト明ナリ論旨ニ援用セル後段ノ説示中ニハ「遺留分権利者ニ損害ヲ加フルコトノ意思ナカリシ」旨記載アルモ其ノ記載ハマス（A）及被上告人（Y）ハ贈与当時遺留分権利者ニ損害ヲ加フルコトヲ認識セサリシコト即其ノ損害ヲ加フルコトニ付テノ故意ヲ欠如セシコトヲ示シタルニ過キスト解スルヲ正当トシ又其ノ文中本件ノ贈与当時マス（A）ニ家督相続人ナカリシコト及右贈与ハ美シキ孝悌ノ道義ニ基キ決行セラレタルコトヲ記載シアルモコハ単ニマス（A）及被上告人（Y）カ贈与当時遺留分権利者ノ権利ニ想到スルコトナク為ニ叙上ノ認識ヲ欠如セシ事実ヲ認定スル資料トシテ掲ケタルニ止マリ特ニ遺留分権利者ヲ害センカ為ニ為シタルニ非サルコトヲ理由トシテ減殺ヲ許サストセルニ非サルハ勿論論旨第二点ヲ批難セル如ク贈与当時マス（A）ニ家督相続人ナカリシコトノ一事ニ依リ其ノ減殺ヲ排斥セシモノニ非サルカ故ニ論旨ハ総テ採用スルニ足ラス」（大判昭四・六・二二民集八・六一八、穂積・判民五七事件）。

本判決は、原審が、「加害の意思」の有無の観点から認定した事実を、そのまま、そっくり、「認識の欠如」の資料とした後段の論理からみて、本判決はなお、その底には、「加害の意思」の考え方から、完全に脱却しているかどうかに疑問がもたれる（来栖・判民昭和一一年八三事件参照）。しかし、認識の存在をもつて足りるとする前段の抽象的論理が、以後の判決に大きな影響を与えたことからみて、この領域でのリーディングケイスとして評価しうる（柚木・判相四一九頁参照）。翌年の昭和五年六月一八日大審院判決【17】、更に、昭和九年九月一五日大審院判決【18】はこの理をうけつぐものである。

まず、昭和五年の判決から紹介する。

【17】 Y（被告・被控訴人・被上告人）はX（Aの家督相続人）（原告・控訴人・上告人）の先代Aから、大正九年八月一一日に、争いとなつている贈与をうけ、ついで、Aが、大正一四年二月一五日に死亡し、Xが家督相続をした。Yは、Aの後妻Bの弟であり、AとBとの間には、子供が六人存在している。Aは、自己の財産をXとYに分譲し、YにA・Bおよび、AB間の子供六人を扶養せしめることを約したという事実が認定されており、原審は、Aが自由分を超えてYに贈与したのは、合計八名の扶養義務を負担した結果であつて、AYともに、贈与当時、遺留分権利者に損害を与うることを認識しなかつたものと認定するを相当とするとした。Xの上告に対して、上告審は、原審の判断を支持した。

「然レトモ原判示ノ如ク上告人（X）ノ先代元三郎（A）カ其ノ所有財産ヲ上告人（Y）ニ分譲シ之ト同時ニ被上告人（Y）ニ於テ元三郎（A）其ノ妻キヨ（B）及両名間ノ子女六名合計八名ノ扶養義務ヲ負担シタル事実ニ徴スレハ本件贈与ノ当時元三郎（A）及被上告人（Y）ニ於テ遺留分権利者ニ損害ヲ加フルコトヲ認識セサリシモノト認メ得ラレサルニ非ス此ノ認定ヲ不法ナリトスル所論ハ畢竟原審ノ専権行使ヲ非難スルニ帰シ上告人ノ理由ト為ラス」（大判昭五・六・一八民集九・六〇九、兼子・判民六一事件）。

ここでも、注意すべきは、表面上は、加害の認識の有無がうんぬんされているけれども、判旨が、認識なきものとしてあげている事実関係は、むしろ、加害の目的（意思）なきものとしての事実資料として評価しうるものであるということである。AのYに対する贈与は、X・Yに対する生前の財産分けであり、しかも、Xよりも多額に（Xの遺留分の二分の一を超えて）贈与したのは、自己をも含めて、合計八名の扶養をしてもらうためになされたという事実が、認識なきものと判断した資料となつているが、これは、Xに加害の目的・意思がなかつたといいえても、これからただちに、加害の認識の欠如をうんぬんすることは、論理の飛躍を感じさせるのである。要するに、事実関係の認定と、「損害を加えることを知って」の一般理論との間にずれがみられるのであり、この点では、前記【16】と同じ評価が、この判決にも与えられるわけであるが、抽象的論理として、そういわしめている点に、【16】の抽象論の部分の影響が見られるのである。

しかし、次の昭和九年判決【18】は、実質的にも、「加害の認識」の観点から問題を扱っている。事案は、次のようなものである。

【18】 被相続人Aが、大正一一年一二月二一日死亡し、家督相続が開始したが、長男Bは既に、大正五年六月二五日に死亡しており、そこで、Bの長女Cが代襲相続した。その後、大正一五年三月二日X（原告・被控訴人・被上告人）が、Cと入夫婚姻し、Cの家督相続をした。ところが、Aは大正九年二月五日にY_1（Aの次男）（被告・控訴人・上告人）および、Y_2（Aの三男）に全財産を贈与している。

原審は、全財産の贈与であること、受贈者が、被相続人の次男・三男であることから、贈与が遺留分権利者を害することおよび、当事者双方が、これを了知していたことを認定しうるとした。これに対して、Y_1・Y_2は次の理由で上告した。AはCの被代襲者Bに、大正四年頃に生計の資として贈与しているが（資産一万五千円のうち二千五百円を贈与していると原審で認定されている）、Aとしては、これは相続財産の生前分与としてなしたのであり、そして、それ以外の財産は、Y_1・Y_2に分与するになんの妨げもないと信じたと推測できるのであり、B等が、遺留分権を有し、又は、有すべきことは、Aとしては夢想もしなかったところであると。上告棄却。

「上告論旨ニ喜三郎（A）ハ大正十一年度ニ於テ其ノ財産総額カ金一万五千余円タルコト斯ル資産程度ノ喜三郎（A）カ大正四年中長男安次郎（B）ニ対シテ現金二千五百円ヲ贈与スルハ相当重大ナル問題タルハ知ルニ余アリ然レトモ右金額ハ単純ナル贈与ニ非スシテ実ニ安次郎（B）ノ営業資金即同人ノ生計ノ資本トシテ之ヲ贈与シタルモノナルコト判文上明白ナリ而モ当時喜三郎（A）ノ意思ハ安次郎（B）ニ自己ノ相続人

ナルガ故ニ該金タケ相続財産ヲ予メ同人ニ与ヘタルモノト推測スルヲ得ヘシ又之ト同時ニ喜三郎（A）ノ意思ハ既ニ相続財産ヨリ上記金額ヲ長男安次郎（B）ニ与フル以上爾余ノ相続財産ハ全然自己ノ随意ニシテ之ヲ二、三男ニ分与スルニ付何等ノ妨ナシト信シタルモノト推測スルニ難カラス切言セハ爾余ノ相続財産ニ付尚安次郎（B）其ノ他ノ者カ遺留分権ヲ有シ若ハ有スヘキコトハ喜三郎（A）ノ夢想タモ為ササリシ所ト認ムヘシ従テ係争贈与ニ当事者カ遺留分権利者ニ損害ヲ加フルコトヲ知リテ為シタルモノト目スルヲ得スト云ヘトモ民法第千百三十三条ニ所謂遺留分権利者ニ損害ヲ加フルコトヲ知ルトハ法律ノ知不知ヲ問ハス客観的ニ遺留分権利者ニ損害ヲ加フヘキ事実関係ヲ知ルコトヲ意味スルモノト解スルヲ相当トス」（大判昭九・九・一五法学四・三・九五、新聞三八〇一・九（一部分のみ）、中川・総評二巻五一頁）。

本判決は、大審院民事判例集（一三巻一七九二頁）に登載されておりながら、いかなる理由からか、この部分だけは省略されている。しかし、【16】【17】には見られない新しい法理を発見し得る。前述したごとく、判断の基礎となつている事実関係は、むしろ「加害の意思」の有無の観点から見らるべきものであつたゆえに、抽象論としては「加害の認識」をもつて足りるとはしていたが、いつたい、なにを認識しておればよいのか、認識の対象についてはなんらふれるところがなかつた。それに対して、本判決は、「客観的に遺留分権利者に損害を与うべき事実関係を認識すること」であるとし、その認識の内容をかなり明らかにした点に、【16】【17】に一歩を進めるものとして評価されている（中川・総評二巻五一頁）。しかし、「客観的に遺留分権利者に損害を加うべき事実関係を知る」ということが、いかなる意味かは明確でない。殊に、「係争贈与ニ当事者カ遺留分権利者ニ損害ヲ加フルコトヲ知リテ為シタルモノト目スルヲ得スト云ヘトモ」といつたうえで、客観的に遺留分権利者に損害を加うべき事実関係の認識あるをもつて足りるとして上告を斥けていることは、その意味の解釈を難かしいものにしている。ただ、AにおいてB等が遺留分を有し、もしくは有すべきことは夢想もしなかったというY側の主張を認めた上で、この理を展開し、法の知、不知を問わずといっているところからみて、Aの方で、自己の行為が、遺留分権利者を害しているという意識までは必要でないとしていると思われる。そして、原審において全財産が、Y_1・Y_2に贈与されていることが認定されその上に立って加害の認識なしと判断されており、上告審が、上述のごとき理由で原審の判断を支持しているところからみて、贈与が遺留分権利者を害しており（遺留分二分の一の本件では、処分財産の額が残存財産の額を超えていること）、そして、かかる事実関係を認識しておればよい（法の知不知を問わないというのであるから、自由分を超えているという認識も必要でない）とする意味のようである。このようにみると、【16】【17】両判決と比べてみて、実質的には、大きな相違を感じさせる。【16】【17】の認定事実をもとにして、本判決の態度をあてはめてみると、むしろ逆の結論が生じたのではないかと思われる。結局は、【16】【17】が表面的には、認識をいいながらも、実質は、意思の側から問題をながめていたということであろう。

次に本判決の特色として、将来の財産の増加についての当事者の予測を考慮にいれていないことである。これでは、贈与時に、自由分を超えた贈与がなされており、しかも、その後財産がふえてない限り、殆んどが、悪意のある贈与として、算入および、減殺の対象となる恐れがある。贈与時においては、自由分以上の処分がなされていても、当事者が、将来財産が増加するという見込みの上で贈与したような場合に、本判決の態度では、かかる事情を考慮に入れるという余地はないであろう。少なくとも、本判決の法理の中からは引き出すことができない。かくては、被相続人は、終始遺留分相当額の財産を無償処分することを制限され、生前処分の自由をあまりにも制限することとなる。民法が、相続開始の時から一年間に限つた趣旨を没却し、あまりにも、遺留分権利者を保護し過ぎることとなる（家督相続下の事件であり、「家産」の保護という考慮がかかる結論へとおもむかせたものと思われる）。

なお、本判決以前にも、ただ、贈与当時の財産状態からだけで、当事者の悪意を認定した二つの下級審判決【19】【20】があるので、これを紹介する。

【19】「贈与ノ当時丸田家ニハ他ニ財産存セザリシ事ハ洵ニ明瞭ナリ而カモ被告（受贈者—筆者注）ハ其ノ当時ヨリ常ニ与平（被相続人—筆者注）ト同居セシコトハ被告ノ認ムル所ナレバ其当時与平及被告ニ於テ該贈与ハ原告（遺留分権利者—筆者注）ノ遺留分ヲ害スルコトヲ知リ居リタルモノナルコトヲ推知スルニ充分ナリトス」（金沢地判明四五・月日不詳新聞八一五・二三）。

【20】「其贈与アリタル時以後相続開始前ニ於テ寅松（被相続人—筆者注）カ相続財産ヲ組成スヘキ格段ノ財産ヲ取得シタル事跡ノ認メラレサル本件ニ於テハ右ノ贈与ニヨリ被控訴人ノ遺留分ハ侵害セラレタルモノナル事極メテ明白ナリトス、然リ而シテ甲第一号証ニヨレハ寅松ハ其財産ヲ被控訴人（遺留分権利者—筆者注）ヲシテ相続セシムルコトヲ慾セス控訴人（受遺者—筆者注）ノ所有タラシメムルコトヲ希望シ控訴人トノ間ニ於テ右贈与ヲ為スニ当リ両人相通シテ故ラ売買名義ヲ仮装シタル事実明カナレハ之ヲ前叙ノ如ク贈与ノ目的物ハ寅松ノ全財産タリシ事実ニ照合スルトキハ右贈与タルヤ寅松及控訴人ニ於テ遺留分権利者タル被控訴人ニ損害ヲ加フルコトヲ知リテ之ヲ為シタルモノト認定セサルヲ得ス、故ニ被控訴人ハ其贈与ニ付減殺請求権ヲ有スルコト論ヲ俟タサル所トス」（宮城控判大五月日不詳新聞一〇九八・二一）。

かくて、次に登場したのが、昭和一一年六月一七日大審院判決【21】であり、これは、【18】よりも大きく受贈者保護の方向に働いている。結論からいうと、贈与当時、贈与財産の価額が、残存財産の価額を超えたることを知りおりたるのみならず（遺留分二分の一の事件）、将来、相続開始までに、被相続人の財産に、なんらの変動なきこと、少なくとも、その増加なかるべきことを予見しおりたる事実あることを必要とするものであり、以後のすべての判決をして、すべて、この線にそわしめたリーディングケイスである。

【21】　被相続人Aは、推定家督相続人X（原告・被控訴人・被上告人）が素行善良でなく、一六歳で無断家出し、一七・八年間帰来せず、この間三度罪を犯かし処罰されたという有様なので、これを廃嫡しようとしたが、まわりの諫言により、とりやめ、結局、全財産を次男のY（被告・控訴人・上告人）に承継せしめようとした。そのため、まず、大正四年一一月一九日に、Yに三六筆の土地、B（三男）に二四筆の土地を贈与した。そして、大正七年四月二八日、BはYに前記土地を売買名義で譲渡し、同日、Aは残存土地八筆を全部売買名義でYに譲渡し、Aの全財産をYに集中した。この後、昭和九年三月五日（最初の贈与（本件の争点）から一九年後）にAが死亡し、Xの家督相続が開始した。Xは、大正四年の贈与が、当事者が遺留分権利者を害することを知りてなしたるものであることを主張し、遺留分の算定に加えることを、そして減殺の対象となることを主張した。原審は、贈与当時の財産状態からだけで、加害の認識を認定した。

「弥市（A）ハ生前被控訴人（X）ヲ廃嫡セントシタルカ右ハ控訴人（Y）並ニ京右衛門（B）等ノ諫止スルトコロナリ其ノ代リ弥市（A）ハ大正四年十一月十九日当時有シタル財産ハ一切之ヲ被控訴人（Y）ニ相続セシメサルコトヲ決意シ仍テ控訴人（Y）並ニ京右衛門（B）ニ前記各贈与ヲ為シタルモノニシテ同人ハ生前其ノ事ヲ口外シ居リ且ツ同人ハ自分ハ其ノ財産ヲ控訴人（Y）等ニ贈与シタルヲ以テ今後ハ控訴人（Y）等ヨリ扶養ヲ受クヘキ旨ヲモ口外シ居リタル事実ヲ認ムルヲ得ヘシ之ニ因リテ之ヲ観レハ弥市（A）カ当時他ニ財産ヲ有セサリシ限リ同人及控訴人（Y）並ニ京右衛門（B）ハ右各不動産ノ贈与ヲ受クルニ於

テハ法定推定家督相続人タル被控訴人（X）ノ遺留分ヲ害スルコトヲ知悉シ居タルモノト認ムルヲ相当トス而シテ右各贈与ノ当時弥市（A）カ右贈与財産ノ外別紙第三目録記載ノ不動産八筆ヲ所有シ居タルコトハ被控訴人（X）ノ自陳スルトコロナルモ夫以上ノ財産ヲ有シタルコトハ控訴人（Y）ノ何等主張セサルトコロニシテ右八筆ノ不動産ノ価額カ前記贈与ニ係ル財産ノ価額ヨリ少キコトハ其ノ筆数坪数位置等ヲ対比スルコトニヨリ明白ニ認メ得ルトコロナリ然ラハ即チ右各贈与ニ当リテハ其ノ各当事者ハ何レモ开カ遺留分権利者ヲ害スルコトヲ知リ居リタルモノニシテ控訴人（Y）カ京右衛門（B）ヨリ右不動産ヲ買受クルニ当リテモ亦控訴人（Y）ハ开カ遺留分権利者ヲ害スルコトヲ知リタルモノト認メサルヲ得ス然ラハ前記各贈与ノ目的タル不動産ノ価額ハ遺留分ノ算定ニ付弥市（A）ノ財産ニ加算スヘキコト勿論ニシテ又被控訴人（X）ハ其ノ遺留分ヲ保全スルニ必要ナル限度ニ於テ前記各贈与ヲ減殺スルヲ得ヘクシカモ右減殺ハスヘテ控訴人（Y）ニ対シテ之ヲ為スヲ得ルモノトス」

Yは、上告理由として、①遺留分侵害の事実があり、当事者双方に認識があつたと認定するためには、一九年間の贈与者の財産の移動を調査しなければならないのに原審がこの調査を怠つたことは審理不尽であり、②わが民法は、権利関係の不確定期間を短縮せんとしているのに、このように久しい以前の贈与も減殺請求に服するとなしたとは解せられないとした。

上告審は、第一の上告理由に影響せられ、将来の財産関係の変動に対する贈与当事者の認識いかんに考慮を払わなかつたのは審理不尽であるとし、破棄差戻した。

「家督相続開始約十九年以前ニ於ケル本件各贈与カ遺留分権利者ニ損害ヲ加フルコトヲ知リテ為サレタルモノナルコトヲ認定スルニハ当事者双方ニ於テ贈与財産ノ価額カ残存財産ノ価額ニ超ユルコトヲ知リ居リタル事実ノミナラス尚将来（家督相続開始ノ日迄ニ）被相続人ノ財産ニ何等ノ変動ナキコト尠クトモ其ノ増加ナカルヘキコトノ予見ノ下ニ贈与ヲ為シタル事実ヲ判示セサルヘカラス然ラサル限リ其ノ贈与カ遺留分権利者ニ損害ヲ加フルコトヲ知リテ為サレタルモノト謂ヒ得ラレサルカ為ナリ然ルニ原審ハ「弥市（被相続人）

ハ大正十四年十一月十九日当時有シタル財産ハ一切之ヲ被控訴人ニ相続セシメサルコトヲ決意シ依テ控訴人等ニ各贈与ヲ為シタルモノニシテ云々」「之ニ因リテ之ヲ観レハ弥市カ当時他ニ財産ヲ有セサル限リ同人及控訴人等ハ右各不動産ノ贈与ヲ受クルニ於テハ法定推定家督相続人タル被控訴人ノ遺留分ヲ害スルコトヲ知悉シ居リタルモノト認ムルヲ相当トス而シテ右各贈与ノ当時弥市カ右贈与財産ノ外別紙第三目録ノ記載ノ不動産ヲ所有シ居リタルモ右不動産ノ価額カ前記贈与ニ係ル財産ノ価額ヨリ少キコトハ明白ニ認メ得ルトコロナリ」ト判示スルノミニテ被相続人弥市（A）ノ財産ノ将来ノ変動ニ対スル贈与当事者ノ認識如何ニ何等ノ考慮ヲモ払ハスシテ直ニ本件各贈与ハ当事者双方カ遺留分権利者ニ損害ヲ加フルコトヲ知リテ為シタルモノニ外ナラスト判断シタルハ前段説明スル如ク正ニ為スヘキノ審理ヲ尽ササル違法アルモソト謂ハサルヘカラス」（大判昭一一・六・一七民集一五・一二四六、来栖・判民八三事件、中川・総評三巻二九七頁（民商五巻一号一五六頁）、近藤・論叢三六巻一号一六六頁、福島・法と経済七巻一号一五六頁、岩田・志林三八巻一二号一七二八頁）。

Xに相続せしめないために全財産をYに集中した経緯からみて、これまでの判例の態度からみれば、当然に加害の認識ありと判断されるケイスである。原審の判断は、従前の判例の線にそうものであった。大審院が、従来の態度を変更したのは、【18】のケイスとは異なり、算入・減殺を認めないことが、むしろ、家督相続の精神に合すること、相続から、一九年も前の贈与であるという特殊事情に影響されたから（詳細は後述六七頁以下）であるが、とにかく、以後の判例に大きな影響を与えた重要な判決である。

この当否は、後にみることとし、先に、この後の判例の動向を概観する。

翌年の昭和一二年一二月二一日大審院判決は、贈与がなされてから、十数年後に相続が開始したケイスにおいて、【21】を踏襲した。

【22】「被上告人（受贈者―筆者注）カ菊地清一（被相続人―筆者注）ヨリ贈与ヲ受ケタル不動産ノ価格

カ上告人（遺留分権利者―筆者注）ノ相続ニ因リテ取得シタル不動産ノ価格ヲ超過スルコトハ上告人ノ相続当時ノ価格ヲ標準トスルニ過キサルコトハ原判決文上明白ナリ然ルニ被上告人ガ右菊地清一ヨリ不動産ノ贈与ヲ受ケタルハ大正九年ヨリ大正十三年迄ノ間ニシテ昭和十一年一月二十日ノ相続ノ時ヨリ十数年ノ長キ歳月ヲ遡リタル既往ノ事実ニ属ス然ラハ相続当時ノ価格ノミヲ標準トシテ右贈与当時ニ於テ被上告人ガ遺留分権利者ニ損害ヲ加フヘキコトヲ予知シ居リタルモノト為シ難ク所論ノ証拠ハ斯ル事実ヲ認メサルヘカラサルモノニアラス加之相続開始一年前ノ贈与カ遺留分権利者タル法定家督相続人ニ損害ヲ加フルコトヲ知リテ為サレタルモノトナリト謂フニハ当事者双方ニ於テ贈与当時贈与財産ノ価格カ残存財産ノ価格ニ超ユルコトヲ知リタルノミナラス尚将来相続開始迄ニ其ノ財産ニ何等ノ変動ナキコト尠クトモ其ノ増加ナカルヘキコトヲ予見シ居リタル事実アルコトヲ必要トスルモノナルコトハ当院ノ判例トスル所ニシテ（昭和十年(オ)第二六一四号同十一年六月十七日当院判決参照）本件ニ於テハ以上ノ事実ヲ予見シ居リタリトスル証左ナキヲ以テ論旨摘録ノ如ク判示シテ上告人ノ請求ヲ棄却シタル原判決ハ相当ニシテ論旨ハ理由ナシ」（大判昭一二・一二・二一法学七・四・一三〇）。

【21】は破棄差戻しの判決であつて、上告審みずから、認識の欠如を判断していないが、【22】は、上告審判断として認識の欠如を主張しているところに【21】と異なつた特色がみられる。しかし、理論としても、又、その意図するところも、【21】を踏襲している。

ついで、昭和一九年七月三一日大審院判決も、これに従つたが、【21】【22】とは逆に、算入・減殺を認めた点に、本判決の特色がある。

【23】　被相続人Aが昭和一五年八月八日全財産を妻Y（被告・控訴人・上告人）に贈与し、昭和一八年九月一八日にX（原告・被控訴人・被上告人）が家督相続をした。Xは、Aの家より分家したAの弟Bの次男で、Bの法定推定家督相続人であつたが、昭和一五年一一、二月頃AとYとの間に養子縁組の儀式をあげ、

事実上の養子となり、昭和一六年八月四日Bの法定推定家督相続人たる地位の廃除の判決を受け、同年九月一八日正式に養子縁組の届出をして、Aの法定推定家督相続人となり、前述のごとく、家督相続をしたのである。ところで、上述の全財産の贈与について、原審は、贈与当時六八歳で、其の前年より脳溢血を患い、相続開始にいたるまでの間、財産を増加せしめる見込がなかつたこと、AY夫妻は、A家を断絶せしめることを慾せず、贈与以前から、C（Xの兄）を事実上の養子とし、Cが死亡するやXをしてA家を継がせることを懇望した事実を認定した（Yは、贈与当時は相続人を立てることを予想せず、いわんやXを養子とする意思は無かつたのだから、YはXの遺留分権を害することを知らなかつたと主張している）上で、遺留分権利者を害することを知つてなしたものと判断した。Yは、後段の認定を非難して上告した。

「遺留分ノ権利ハ家ヲ維持スル為ニ認メラレタル相続人ノ権利ナルカ故ニ被相続人カ相続開始前其ノ財産ヲ贈与シタル当時ニ於テ法定家督相続人ナキモ其ノ家ヲ廃絶家ト為スコトナク存続セシムル意思ナルコト明カナル場合ニ於テハ右贈与後ニ家督相続人ト為リタル者モ猶遺留分権利者タルニ妨ケナキモノトス而シテ本件ニ於テ原審ノ認定シタル所ニ依レハ被上告人（X）ノ被相続人タリシ吉田松次郎（A）カ其ノ不動産ヲ上告人（Y）ニ贈与シタルハ昭和十五年八月八日ニシテ被上告人（X）カ養子縁組届出ニ依リテ右松次郎（A）ノ法定推定家督相続人ト為リタルハ昭和十六年九月十八日ナレハ右贈与当時ニ於テ被上告人（X）ハ遺留分権利者ノ地位ニ在ラサリシモ松次郎（A）ハ右贈与以前ヨリ其ノ分家ノ家族タル被上告人(X)ノ兄兼雄(C)ヲ事実上ノ養子ト為シ同人死亡スルヤ更ニ被上告人（X）ヲ養子トシテ本家ヲ継カシムルコトヲ懇望シ其ノ本家ヲ断絶セシムル意思ナカリシモノニシテ原審ノ挙示スル証拠資料ニ依レハ右ノ如キ認定並ニ判断ヲ為スニ充分ナルヲ以テ被上告人（X）ハ遺留分権利者トシテ其ノ権利ヲ行使スルニ妨ケナキモノト謂ハサルヘカラス而シテ論旨摘録ノ原判示ノ各事実ニ徴スレハ実験則上本件贈与当時ニ於テ当事者双方カ叙上ノ関係ニ於テ遺留分権利者ト為ルヘキ者ニ損害ヲ加フルコトヲ知リテ右贈与契約ヲ為シタルモノト判断シ得サルニ非ス所論ノ特別事情ナルモノハ原審カ証拠ニ依リ適法ニ為シタル前示事実認定ヲ非難スルカ又ハ原審ノ認定セサ

ル上告人ノ主張事実ニ基キ前示原審判断ヲ批議スルモノニシテ上告理由トシテ採容スルヲ得ズ」（大判昭一九・七・三一民集二三・四二二、来栖・判民三二事件、福島・民商二一巻三号一八四頁）。

上告審では、もつぱら、贈与後に推定家督相続人となつた者でも、被相続人の方で、廃絶家となす意思がなかつた場合には、遺留分権利者たることが論ぜられている（【4】参照）。この限りでは【21】【22】とその関連は切断されている。しかし、原審では、贈与時既に六八歳にして脳溢血を患らつており、その後、財産が増加する見込みがなかつたという認定がなされており、これが、減殺を認める積極的理由となつていることが注目される。この判断は、明らかに【21】の線に沿うものである。そして、上告理由、従つて又上告審ともに、この点については、問題が解決されているものとして、他に論点を求めている点に、本判決への【21】の影響を見ることができるのである。ところで、この観点から本事件の特色をみると、ここでは、当時としては、非常な高齢で、しかも不治の病いにかかり、活動力を失つているという事実があり、この事実が、減殺を認めることの決定的理由となつていることが挙げられる。

なお、本判決では、全財産贈与時には、遺留分権利者が存在していなかつたということが、加害の認識の判断にあたつて、どのような意味をもつてくるかが論ぜられている（表面的には、贈与後の推定家督相続人も、遺留分権利者であるかという形で論ぜられているが）ので、ここで、少し言及する。この点については、【16】も同様である。【16】の場合には、逆に、認識欠如の判断の一資料とされている。本判決では、贈与時において、被相続人は廃絶家となす意思がなかつたことが認定されている点が、【16】のケイスと異なる。結局、将来における遺留分権利者の出現を予想していたというわけである。【16】の場合は、贈与後に子供が生まれたのであるが、一般論的にいえば、このような可能性は、多かれ少なかれあるわけであり（贈与者の年齢等により異なるが）、本件の場合と五十歩百歩である。贈与時に、遺留分権利者が存在していなかつたからといつて、一般論的に、直ちに認識の欠如をうんぬんすることはできない。加害の意思とは異なる。ゆえに、【16】も、抽象論としては、贈与当時遺留分権利者なるもの存在しなくとも、加害の認識あることを示唆している。しかるに、両者結論に相違あるのは、本件では、はつきりと、贈与当時の事情からみて、廃絶家とする意思がなかつたことが判断しうるという相違と、それにもまして、贈与当時の事情からみて、大審院の結論が、ともに、「家」の維持承継という家督相続の精神に合致するという点が注目されるのである（来栖・前掲評釈）。

以上は、すべて、家督相続下の事件であるが、新相続法下においても、同旨の下級審判決が二つ【24】【25】ある。いずれも、算入を認めている。もつとも、【25】は、権利濫用の法理で、減殺請求を認めていない（【13】参照）。

【24】　昭和一七年一〇月一二日に、被相続人が全財産を贈与し、昭和二二年九月六日に相続が開始したものであるが、贈与の前年昭和一六年頃に、被相続人が脳溢血にかかり、贈与当時依然として言語障害が甚しく、老年で活動力を欠き、同居していた受贈者の農業によつて生活していたことが認定されている。

「……不動産（贈与の目的物　筆者注）が、高次郎（被相続人―筆者注）の全財産であつたことは前記のとおり当事者間に争のないところであるばかりでなく、更に当事者間に争のない昭和一六年一一月一五日高次郎が脳溢血を発病したこと……高次郎の右脳溢血はその後良好の経過をとり間もなく運動麻痺はとれたとはいえ、右贈与のあつた昭和十七年当時になつても依然言語障害は甚しく、それにもともと老年で活動力を欠きわずかにその弟で高次郎と同居していた被告（受遺者―筆者注）の農業によつて生活していたこと……の諸事実を併せ考えると、右贈与の当時その当事者たる高次郎及び被告の双方が共に右不動産を全部被告に贈与すれば高次郎には財産の残りがなくなることを知つていたばかりでなく、なお同人の右状況からしてもはやその死亡の時までに同人の財産が増加しないであろうということを予想していたことを推認することができるから、右贈与は畢竟当事者である高次郎及び被告が双方が遺留分権利者に損害を加えることを知つて為したものであると認めるのを相当とする」（前橋地判昭三二・六・六下級民集八・六・一〇七〇）。

【25】は、【15】と同一事件であるが、本問題に関係ある事実をのべると、昭和二五年二月七日に贈与し、昭和三一年六月九日に相続が開始している。贈与当時、被相続人は七二歳の高齢で、右手の指に障害があり、その生活は全く、受贈者の農業労働に依存していたことが、認定されている。

【25】「昭和二五年二月当時弥吉（被相続人―筆者注）には本件贈与財産以外には格別の財産がなかつたこと、また当時弥吉は七二齢の高齢に達し、活動力も失い、そのうえ右手の指に障害があり、その生活は全く被控訴人（受贈者―筆者注）の、農業労働に依存していたことを認めることができ、右認定を左右するに足る証拠はないので、弥吉および被控訴人は、本件贈与により弥吉の財産がなくなることを知つていたばかりでなく、弥吉の財産が本件贈与後その死亡の時までに増加することもないことを予見していたことを推認することができる……被控訴人は本件贈与は控訴人の（遺留分権利者―筆者注）の相続権などに想い至らず、控訴人の存在など念頭におかないでされたものであるから、遺留分権利者に損害を加えることを知つてしたものではない、と主張するが、損害を加えることを知るとは、チヨと控訴人とが合わせて弥吉の財産の二分の一の遺留分を有する本件の場合には、贈与の当事者双方が贈与財産の価額が残存財産の価額を越えていることを知り、さらに、被相続人の財産が相続開始時まで増加することのないことを予見しておれば足り、相

続開始時における遺留分権利者の有無およびその同一性を予見している必要がないから、たとえ被控訴人主張のとおりであっても、弥吉および被控訴人に害意があると認めることの妨げとなるものではない」（仙台高秋田支判昭三六・九・二五下級民集一二・九・二三七三）。

いずれも、【23】と同じく、贈与者が、高齢であり、病気その他の理由で活動力を欠き、将来、財産が増加する可能性のとぼしい場合である。しかも、いずれも、贈与から、相続開始時まで、比較的短期間であることが注目される。なお【25】には、【18】とのつながりがみられる。【18】は、遺留分権利者を害する客観的事実関係の認識（もっともここでは、将来の財産変動に対する見込みが問題とされていないが）で足り、遺留分権の存在等についての法の不知を問わないとした。【25】においても、控訴人（遺留分権利者）の相続権などに想い至らなかったという抗弁がだされているが、【18】と同旨の立場から、これを斥けている（判決理由中の後段）。

以上において、この領域での判例の発展の跡を眺めてきたが、次にこれを検討してみよう。

「損害を加えることを知って」の意味が、加害の意思ないし目的ではなくて、加害の認識であることは、【16】以来（抽象論としては）確定した判例であり、学説上も異説を見ない。民法起草者も、認識をもって足りると考えていた（富井政章「……遺留分ヲ害スル故意タルコトヲ要シナイ斯ウ云フ処分ヲスレバ自分ノ死ンダトキニ相続人ガ迷惑ヲ蒙ムルデアラウト云フコトヲ知ツテ居レバ宜イ」第二〇一回法典調査会議事速記録三五丁）。問題は、繰返し述べたごとく、認識の内容である。遺留分権利者を害することを認識していたとは、いかなる事実を認識しておれば、いいうるのか。【21】が、真正面から、この問題をとりあげ、これが現在の確定した判例であることは既に述べた。ほとんどの学説が、将来の予見ないし予想を、悪意認定の材料としてとりあげることに賛意を表している（とくに、【21】諸評釈参照。ただし、近藤評釈は、抽象論としては、疑の余地はないが、認定された事実関係では、認識ありとすべしとされる。）

来栖評釈は、本判決を肯定されながらも、原審の認識ありとする認定は、やむをえないとされる。岩田評釈は、人の寿命は測り知れないものであるから、残存生存期間中にいかなる財産の変動が生ずるかは人間業では予見しえないとされ、【21】に反対しておられる）。一般的にいつて、財産関係は常に変動し、又、変動の可能性をはらんでいる。遺留分権利者を害するかどうかは、相続が開始してはじめて決定されるのであつて、贈与当時において、自由分を超えた処分であつても、将来、財産の増加とともに、しからざるものとなることもありうる。ゆえに、【18】のごとく、贈与時に、遺留分を超えた処分であるという、遺留分権利者を害する客観的事実関係のみを認識しておればよいとする態度は認め難い。もしそうであるとすれば、贈与当時において、遺留分割合額を超える贈与があればすべて、加害の認識ありということになる可能性がある（中川・総評二巻五二頁）。それでは、被相続人の生前処分の自由をあまりにも制限しすぎることになろう。しかし、逆に、【21】のごとき態度であれば、一年以前の贈与を加算することは現実に不可能となり厳格にすぎるのではないかとされ、相続人の遺留分にくいこむかも知れないという蓋然性の意識をもつて足ると解される立場がある。柚木教授がそうである（もつとも、【21】では、相続開始前一九年の昔になされた贈与に関するものであるから、具体的には妥当な解決となつているとされる。判相四一九頁以下）。また、柚木教授と対しよ的に、来栖教授は、【21】を、さらに一歩すすめて、遺留分権利者に損害を加える結果となるべき積極的予見を必要とすると主張される（【21】評釈）。これらの見解の相違は、遺留分権利者を保護すべきか、それとも、減殺請求（算入と常に一しよに問題となつている）をおさえ、受贈者を保護し、ひいては取引の安全を守るべきかの利益較量のいろいろな表れ方であることはいうまでもない。来栖教授の御見解は、認識ではなくて害意を要求されることに帰着すると思われるのであるが、これを別としても、それでは一年前の贈与が算入・減殺される可能性は殆んどなくなつてしまう（ことに、立証責任は、減殺請求権者にある【26】）。かくては、一年前の贈与でも、場合によつては遺留分権利者を守ろうとする民法の趣旨は殆んど滅却するであろう。取引の安全は、立法的に或る程度まで実現されている（一〇四〇条）。受贈者の保護も、権利濫用の理論の安全弁がある。【25】は、算入と減殺請求権の存在を認めながらも、権利濫用の法理で受贈者を保護している【13】。したがって、来栖教授の御主張の線まで進むべき必要性はないものと思われる。逆に、柚木教授の御き憂も抽象論としてはもっともであるが、【21】【22】をのぞけば、【23】【24】【25】ともに、悪意ありとされており、しかも、【21】【22】は、ともに贈与後、十九年・十数年といった長期間を経過したものであり、柚木教授も結果的には正当視されておられるのである。ゆえに、それほど心配されることはないと思われるのである。【23】【24】【25】は、いずれも、被相続人が贈与時相当高齢でしかも病気その他の理由で、活動力乏しいことから、財産が増加しないことを予見していたとするのであるが、大体において、遺留分権利者を害するような全財産ないし、相当額の贈与がなされるような場合は、かなり高齢で、老い先短い場合が予想され、相続開始時とそれほど期間のへだたりがないものと思われる。認識なしとした二判決はともに、贈与時から相続開始まで、十数年以上経過しており、あとでのべるごとく、この事情が、このような結論に大きな影響を与えていることから考えても、通常の事情のもとでは、判例理論のもとでも、とくに遺留分権利者に不利であるとは考えられないのである。逆に、比較的若く、経済的活動力おう盛な頃の贈与であれば、判例理論に立てば、認識を認定されることは殆んどないであろうが、かえつて、事実に適合するであろう。このように考えてくると、問題を抽象的に論ずることは、あまり意味がないように思われる。それに、大体、悪意とか善意とかあるいは予見のごとく人の内心の出来事を立証することは極めて困難である。結局、間接的に、贈与当時に存在していた(【27】参照)客観的な事実関係の認定の過程において、善意・悪意・予見の有無の判断が裁判官において形成されていくのであり、ゆえに、問題はいかなる事情が存在すれば、悪意を認定しうるかという観点から考えられねばならない。この認定の仕方で、遺留分権利者に有利にも、不利にも働きうる。かかる利益較量は、抽象論の段階で論ずるよりも、一応判例理論を認めたうえで、上述の観点から、具体的に考えるべきであろう。

ところで、まず、この領域でリーディングケイスとなつた【21】であるが、事案は、素行よろしくない長男を廃嫡するかわりに、全財産を次男に集中したものであるが、むしろ、典型的な遺留分侵害事件である(むしろ、加害の目的をもつた贈与である)。ゆえに、抽象的理論としては肯定されながらも、近藤評釈は、逆の認定をすべきだとされ、来栖評釈は、加害の認識を認定した原審判断は、やむを得なかつたとされる。全財産(三千五百円)の贈与にあたつて、将来同額(遺留分二分の一)の財産が増加しないであろうという予見をもつていたであろうと推測し得る事案である。たとえ、財産が増加しても、次男に贈与したであろう。しかし、それでも、本判決を学説の多くが支持したことは、中川教授(【21】評釈)がしてきされる次の事情あるがゆえである。一つは、贈与の時から十九年という長時間が経過しており、権利関係の安定という点から減殺は望ましくないということ、第二は、遺留分権利者が素行不良十何年間も家を去つてよりつかず、家督相続人らしくないことである。まず、第一の点から吟味していくと、【21】が、かかる事情に大きく影響されていることは「家督相続開始約十九年以前ニ於ケル本件各贈与カ遺留分権利者ニ損害ヲ加フルコトヲ知リテ為サレタルモノナルコトヲ認定スルニハ……将来（家督相続開始ノ日迄ニ）被相続人ノ財産ニ何等ノ変動ナキコト尠クトモ其ノ増加ナカルヘキコトノ予見ノ下ニ……」といっていることから明らかであるが、形式論的に考えれば、被相続人が、あと何年いきのびるかは、岩田評釈のいわれるごとく、神ならぬ身、予想はつかないのであるから、財産関係の将来の変動に対する予見と、贈与時から死亡時までの期間の長短とは、本来関係ないはずである。しかし、十九年も経過した贈与を減殺に供することが妥当でないことはいうまでもなく、ドイツ民法が相続開始の当時贈与が十年を経過している場合には贈与を加算しない（二三二五Ⅲ）として立法的に法律関係の安定のために解決していることをかかる解釈技術によつて解決したものであり（福島評釈は、立法論としてこのことを要求される）、中川評釈のしてきされることく「十九年も古い贈与は減殺しうるものではない」とする判決と解すべきであり、形式論的に批難すべきではあるまい。翌年の【22】が、贈与後十数年後に相続が開始した事案で、同じ結論を述べているが、同一の評価が加えらるべきであろう。従つて、贈与が相続開始まで長時間を経過しているという事実は、財産が増加しない予見がなかつたとして認定される方向に働く資料として、大きな地位を占めていると考えてよいであろう。認識を認定している【23】【24】【25】がいずれも、数年という短期間であるということは、この判断を補強する。ところで、注意すべきは、判例上の事件はすべて、かかる贈与が、単に遺留分算定のための加算すべき贈与か否かの争いだけでなく、同時に、減殺の対象かどうかの争いでもある。ゆえに、贈与時から長期間を経過しているものについては法的安定の見地から、判例の態度は、そのまま是認される。しかし、抽象論的には、減殺の対象として争われているのが、他の遺贈・贈与であり、ただ、このような贈与を遺留分算定の基礎として加算すれば、争いの対象となつている遺贈・贈与について減殺が許されるといつた場合、いいかえれば、ただ、遺留分算定の問題としてのみ問題とされているといつた場合も考えられる。この場合はこのような考慮は不要であろう。この点についての判例の態度は、贈与が、算入と同じに減殺の対象となつていた場合にのみ妥当すると考えるべきであろう。次に、第二の遺留分権利者が家督相続人らしくないという点からであるが、これが、【21】に影響を与えていることは、旧法時代この領域の他の判決がいずれも、結果的には家督相続の精神に合致していることから考えても推測しうる。しかし、理論的に考えれば、かかる事情は、被相続人の側の「害意」こそ推測せしめても、受贈者側に有利な事実とはならない。この点で、参考とさるべきは、昭和三六年仙台高裁である【25】【13】。前述したごとく、認識の存在を認定しておきながら【25】、権利濫用の法理で減殺を認めていない【13】。一般条項で解決するのは最後の手段としてなさるべきではあるが、本問については、理論的には、仙台高裁判決の方向を正しとすべきである。けだし、遺留分権利者として妥当でないという事情と、加害の認識とは、論理的にはまつたく次元を異にする事柄であるからである。

最後に、認識を認定している【23】【24】【25】から、将来財産が増加しないという予想を推測せしめる事情を抽出してみよう。いずれも、相続開始前短期間になされている。これが、認識の認定に消極的に作用していることは前述した。積極的事情としては、贈与当時高齢であり活動力を欠いていること（【23】では六八歳、【25】では七二歳、【24】はただ老年とのみ認定されている）、病気ないし不具であること（【23】では脳溢血、【24】では言語障害ある程度の脳溢血、【25】では右手の指に障害がある）更に、生活を他人に依存していること（【24】【25】は受贈者の農業によって生活している）があげられる。もちろん、一つ一つが、それ自体で悪意認定の十分条件でないことは、上掲判決が、二つないし三つの事情を認定したうえで、算入・減殺を許していることから明らかである。

(b)　加害の認識の挙証責任は、減殺請求権者にある。

【26】「悪意ノ立証責任ハ減殺請求権者ニ存スルコトハ当然ナリ而シテ原裁判所ハ諸種ノ証拠ニ基キ悪意ノ事実ナシト認定シアルヲ以テ何等理由不備アリト云フ可カラス」（大判大一〇・一一・二九新聞一九五一・二〇）。

(c)　悪意の認定は、贈与当時の事情によって判断すべきである。

【27】「……贈与ノ当事者カ遺留分権利者ニ損害ヲ加フルコトヲ知リテ之ヲ為シタリヤ否ハ該贈与当時ノ事情ニ依リ之ヲ判定スルヲ妥当トスヘク……」（大判昭五・六・一八民集九・六〇九、兼子・判民六一事件）。

（ハ）　不相当な対価をもってした有償行為（一〇三九前）　有償行為でも、不相当な対価をもってされ、当事者双方が遺留分権利者に損害を加えることを知ってした場合には、これを贈与とみなしている。対価を差し引いた残額が贈与として算入されることとなる（もっとも、対価は相続財産中に存して、そのものとして計算されるから、結局はその全額が算入されることとなる。柚木・判相四二一頁）。契約に限らず債務免除のごとき単独行為をも含む（中川編・相続(下)二六七頁（磯村））。遺留分権利者を害することを知っての意義は、一〇三〇条前段のそれと同じである。

（ニ）　相続人（遺留分権利者）が被相続人より受けたる贈与　相続人が被相続人から贈与をうけた場合は、一般第三者の場合と比べて問題が多い。

(a)　共同相続の場合　共同相続人の一人が、被相続人より、婚姻・養子縁組のため若しくは、生計の資本として受けた贈与は、それがいつなされたか、加害の認識があつたかどうかを問わず算入する(民一〇四四・九〇三)。

いわゆる持戻財産は、相続分の前払いとみられるものを計算上相続財産を構成するものとして、共同相続人間の衡平をはかる遺産分割前の予備的操作である(有地「特別受益者の持戻義務(一)(二)」民商四〇巻三号とくに四〇二頁以下)。したがつて、遺留分の計算にあたつても、理論的には、「現存財産」のカテゴリーに属するものとして、当然に加算されなければならない。一般の贈与と異なつた取扱いをうけるのは、論理上当然である(あえて、一〇四四条による九〇三条の準用をまつものでない)。遺留分と、持戻しとの関連をとくものとして、【28】がある。

【28】「遺留分ノ減殺ハ相続人ノ遺留分権ヲ侵害スル被相続人ノ贈与又ハ遺贈ヲ遺留分ヲ害セサル限度ニ減縮スル行為ナルニ反シ民法千七条ノ受贈財産ノ持戻トハ相続開始前ノ贈与ニ因リ失ハレタル共同相続人間ノ不平等ヲ回復スルコトヲ目的トスル行為ヲ云ヒ其ノ性質上大ナル差異アルトコロニシテ即チ民法第千七条ニ依リ相続分ノ算定ヲ為スニ当リテハ苟モ共同相続人中被相続人ヨリ生計ノ資本トシテ贈与ヲ受ケタルモノアル時ハ其ノ贈与ニヨリ他ノ共同相続人ノ遺留分ヲ害シタルヤ否ヤヲ問ハス将又贈与ノ事実ヲ知リタリ時期如何ニ拘ラス被相続人カ相続開始ノ時ニ有セシ財産ノ価額ニ贈与価額ヲ算入シタルモノヲ相続財産ト看做シテ相続分ヲ算定シ贈与ノ価額カ受贈者ノ相続分ヲ超過スル場合受贈者ハ残余財産ニ付キ相続分ヲ有セサルモノト為ス可キモノニシテ此ノ場合民法第千百三十三条及第千百四十五条ヲ適用スヘキ余地ナシ」(長崎控判昭八・一一・二九新聞三六五八・七)。

ところで、かかる贈与が、相続分とは無関係であるという被相続人の特別の意思表示(持戻義務免除)があつた場合にも、同じく何らの制限なしに算入されるかは問題である。昭和三三年一二月二六日広島家裁呉支部審判は、多くの点において興味深い問題を提起しているが、この点においてもふれるところがあり、しかも一部分だけの引用では明らかにすることができないので、ここで全文を掲載することとする。

【29】「事　実

申立人等は被相続人高山欣造の遺産を法律上適正に分割することを求め、その原因として申立人等及び相手方の父である被相続人は、昭和二九年三月〇日呉市〇〇で死亡し、その相続人は申立人等と相手方の四名である。被相続人は呉市内に別紙第一目録記載の不動産を有し、またその生前別紙第二目録記載の不動産を売買名義で相手方に贈与し、別紙第三目録記載の不動産を相手方に遺贈しているので、申立人等は相手方に対し遺産分割の協議を求めるけれども協議が調わないので、法律上適正な分割の審判を求めるといい、立証として甲第一号証の一乃至四、同第二号証の一乃至六、同第三号証の一、二、同第四号証の一、二を提出し、証人泉三郎、同高山ツナ及び申立人本人等の審問を求め、乙第一号証の一、二、同第五号証の一は各その成立を認め、乙第二号証同第五号証の二、三は公務所の作成に係る部分のみその成立を認めその余は不知、乙第三号証、同第四号証、同第五号証の四はいづれも不知と陳べた。

相手方は被相続人が申立人主張の日時に死亡したこと、その相続人が申立人等三名と相手方の四人であること、別紙第一目録記載の不動産が被相続人の遺産であること、同第三目録記載の不動産を相手方が被相続人より遺贈を受けたものであることは認めるけれども、別紙第二目録記載の不動産は相手方が被相続人から真実買受けたもので売買名義の贈与ではない。別紙第一目録記載の不動産中家屋番号二五六番の二の建物は、相手方が自らの計算で建築したもので被相続人の遺産ではない。従つて申立人等がこれらの不動産の価額加算を主張する遺産の分割には応じられないと陳べ、立証として乙第一号証の一、二、同第二号証乃至同第四号証、同第五号証の一乃至四を提出し、証人河原弥市、同広川仙市、同橋場晃、同太田卓一、同佐藤太郎、同高山トミヱ及び相手方本人の審問を求め甲号各証の成立を認めた。

理　由

一、相続人

被相続人高山欣造の相続人が申立人等と相手方の四名であることは、当事者間に争がないし、甲第一号証の一乃至四の戸籍謄抄本の記載によつて明白である。

二、遺　産

遺産の範囲について当事者間に争ある場合に、家事審判手続で遺産の範囲を確定し得るか否かについては、多少疑問の存するところであるが、家庭裁判所が遺産の分割を適正に行うがためには争ある遺産の範囲を確定したり、相続人が誰であるかを確定することは、当然の前提として必要なことであるから、家庭裁判所は遺産の分割に際し、当事者間に争ある遺産の範囲を確定することができるものと解する。このことは民法第九〇三条第一項により相続財産とみなすべき贈与か否かにつき争ある場合にも、同様に解ず（すの誤り）べきものである。そこでまづ

(イ)　別紙第二目録記載の不動産が相手方が主張するように相手方が買得した固有の不動産であるか、申立人等が主張するように相手方の生活のために、被相続人が売買名義で相手所に贈与したものであるかを考えるに、甲第一号証の一及び当事者本人等の供述によれば、被相続人欣造にはその亡妻キヨとの間に三男二女が生れ二男登は、昭和二〇年一月五日ラバウル方面で戦死し、三男清三は旧制の高等教育を授けられて独立し、長女アキ二女和枝は相応の支度を受けて他家に嫁し、被相続人は長男である相手方を頼りとして老後を托する意思であつたことが認められる。更に当裁判所は上記申立人等の供述に証人泉三郎、高山ツナの供述を総合し、相手方は妻ヒサヱと婚姻後被相続人等と別居し、呉市役所駐留軍等に勤務したが終戦後の混乱により離職していたし、被相続人は老齢で従来営業としていた〇屋営業を自ら経営することを好まず、一面二男登の戦死による遺族扶助料を受けるようになつたので、昭和二四、五年の頃〇屋営業を相

手方名義に変更し、相手方の生業としてこれを経営させることとし、その頃昭和二五年四月八日別紙第二目録記載の〇屋営業用建物を売買名義で相手方に譲渡したもので、これは被相続人が相手方の生活のために〇屋営業権を営業用建物と共に相手方に贈与したものであるが、贈与税等の関係で売買に名を藉りたに過ぎず、真の売買ではないと認定する。相手方は墓石の建造代金、仏壇の購入代金等をもつて売買代金の支払に充てたと称するけれども、証人河原弥市の証言によれば墓石の註文があつたのは昭和二七年頃であるし、仏壇を購入したのは昭和二八年三月であることは、証人佐藤太郎の証言によつて成立が認められる乙第四号証によつて明かである。係争家屋の所有権を移転したのは昭和二五年四月であるから、遙か二年三年の後を予想して売買の目的物の所有権を移転するようなことは通常の場合あり得ないことである。また被相続人欣造は昭和二五年既に生業としていた〇屋営業を相手方に譲つたのであるから、世に謂う世帯を相手方に譲つたものであり従つて仮に相手方が自らの金銭で墓石を作り仏壇を購入したとしても、高山家の世帯主として当然の負担であつて、これを世を譲り隠居暮しをしている被相続人の計算に帰し、墓石や仏壇の所有権を被相続人とすることも人の生活経験上不自然であつて、相手方の主張は肯認し難いものがある。

(ロ)　次に別紙第一目録記載の家屋番号第二五六番の二の家屋を相手方が建築所有するものであるかどうかの点については、証人泉三郎、同広川仙市の供述、申立人高山清、同高山アキの供述により、被相続人が〇〇町に所有していた家屋を被相続人自ら移築したもので、当初その建築名義を長男である相手方名儀にしていたが中途で被相続人名義に改めて建築を完成し、以来引続き被相続人が所有し居住していたものであることが認められる。この点に関する証人高山ヒサヱ並に相手方本人の供述は措信しない。その他相手方の全立証をもつてもこの認定を覆すに足るものは存しない。

(ハ)　次に別紙第三目録記載の不動産が被相続人より相手方に遺贈されたものであることは、乙第一号証の二公正証書の記載、証人太田卓一、同高山ヒサヱの供述と総合してこれを認めることができる。

(ニ)　次に申立人アキは婚姻の際の支度として、昭和一一年当時被相続人より七、八百円相当の物の贈与を受けたこと、申立人和枝は同じく昭和一二年当時三、四百円相当の物の贈与を受けたこと、相手方は同じく一四年当時二、三百円相当の物の贈与を受けたこと、申立人清は他の申立人及び相手方に比し特別の教育として旧制中等教育、高等工業教育を受け、昭和一六年一二月までに被相続人より順次一、八〇〇円程度の学資金の贈与を受けたこと、相手方は昭和二〇年水害の当時被相続人より箪笥、衣類、金庫、掛軸その他の生活物資時価約一千円程度の贈与を受けたことは、いづれも当事者間に争がない。

(ホ)　被相続人が呉市より使用権を取得した呉市〇〇〇丁目〇〇〇番地墓地二畝三歩の内の一坪の存すること、呉市〇〇〇簡易水道五拾円出資一口の存することも当事者間に争がない。

三、遺産の価額

遺産が不動産である場合その価額の算定は、遺産分割時の価額によるを相当と解する。そして家屋のように年々その価値を損耗するものについては、遺産分割時の価額が相続開始時より少ないときはその差額は共同相続人中の占有者の負担とすることが公平の理念に適するものと考える。遺産とみなさるべき贈与については、贈与時の価額を遺産分割時の貨幣価値に換算した価額をもつて贈与財産とみるを相当と考える。このような考え方に基いて本件遺産の価値を算出するときは、不動産については鑑定人井上晋平の鑑定の結果により

別紙第一目録記載の物件の価額は金二六万七千九百五〇円

同第二目録記載の物件の価額は金一一七万八千円

同第三目録記載の物件の価額は金一〇三万五千三百三〇円

である。次に婚姻のため申立人アキの昭和一一年当時の受贈物の価額七百円、同和枝の昭和一二年当時の受贈物の価額三百円、相手方の同昭和一四年当時の受贈物の価額二百円及び昭和二〇年当時相手方の受贈生活用品の価額約一千円、申立人清が昭和一〇年前後より昭和一六年一二月までの間に受けた学資金約一千八百

円を、それぞれ昭和三三年九月当時の貨幣価値に換算するときは
アキ分二一万六千円、和枝分八万四千円、相手方分一二万一千円、清分約四三万円となることは、日本銀行広島支店長の物価指数回答書及び同支店の電話回答報告書に基き算数上明かである。呉市に対して有する墓地一坪の使用権が価値僅少のものであつて価額を計上するに足りないものであることは、家庭裁判所調査官須永正の調査の結果これを認めることができるし、〇〇町簡易水道出資が現今無価値のものであることは当事者間に争がない。このようにして本件相続財産及び相続財産とみなすべき遺贈及び贈与の価額を合計するときは金三三三万二千二百八〇円となりこの金額が相続分算定の基礎となる金額である。

四、相続分

本件被相続人が長男である相手方に対し、昭和二二年五月九日付遺言により資産の重要部分を遺贈し、次いで昭和二五年四月八日前記認定のように〇屋営業用建物を贈与し、資産の大部分を相手方の所有に帰せしめている事実は、相手方に対し均分相続分を超えて相続をさせる意思を表示したものと認定する。さすればこの意思表示は共同相続人の遺留分を害しない限度において効力を有する。そこで共同相続人である申立人等の遺留分の割合が何程であるかを考えるに、申立人等及び相手方は被相続人の直系卑属であるから相続財産の二分の一が遺留品であり、これを共同相続人四人に分割すれば各自の遺留分の割合は八分の一となり、申立人等の相続分は相続財産の各八分の一、相手方のそれは二分の一に八分の一を加えた八分の五となる。

この相続分の割合を前項遺産の総価額三三三万二千二百八〇円に乗じた

四一万六千五百三五円が申立人等一人毎の相続分であり

二〇八万二千六百七五円が相手方の相続分である。

しかるに家屋については前項に述べたように損耗額を占有者の負担とすべきであるところ、主文一の(イ)の家屋は申立人アキが相続開始時から占有しており、鑑定人井上晋平の鑑定により遺産分割時の価額が相続開始時の価額よりも五千五百円減少しているから、これを同人の負担として控除すれば同人の相続分は四一万

一千三五円となり、主文掲記一の(ハ)の家屋は、同様和枝の占有にかかるので、前同様損耗額一万五千五〇円を控除すれば同人の相続分は四〇万一千四百八五円となり、別紙第二目録記載の家屋は、相手方の占有にかかるので、同様損耗額七万七千五百円を控除すれば相手方の相続分は二〇〇万五千百七五円となり、申立人清の相続分には変動がない。

五、分割の実施

分割の実施に当つては前項のようにして定つた抽象的相続分から法定の贈与又は遺贈の価額を控除して受くべき相続分の存否を定めなければならない。

申立人アキについては、四一万一千三五円から婚姻のため贈与を受けた二一万六千円を控除した一九万五千三五円が

申立人和枝については、四〇万一千四百八五円から婚姻のため贈与を受けた八万四千円を控除した三一万七千四百八五円が

受くべき相続分となるけれども

申立人清は約四三万円の贈与を受けたことになるから、一万三千余円相続分より多く贈与を受けたことになり、相手方の受けた贈与又は遺贈の価額は、二三三万四千三百三〇円で相続分より二五万一千六百五五円多く受けた計算となり

共に受くべき相続分は存しないこととなる。そこで現に遺産として存する別紙第一目録記載の物件をどのように分割すべきかを考えるに、呉市〇〇〇丁目〇番地家屋番号第〇〇番木造瓦葺平家建居宅一棟建坪一一坪の家屋は、申立人アキが離婚復籍した昭和一五年当時より居住支配し、呉市〇〇〇丁目〇〇番地ノ三家屋番号〇〇番ノ二木造瓦葺平家建居宅兼店舗建坪一五坪五勺の家屋は、申立人和枝が相続開始当時より居住支配して、いづれも今日に至つており、同人等は他に家屋を所有していないことが認められるので、これをそれぞれ同人等の単独所有として分割することが相当であると認める。呉市〇〇町字〇〇〇〇番地

ノ一保安林二反四畝歩は、現に保安林であつてその利用価値は少ないけれどもこれを申立人アキの単独所有とし、本手続中に出現した呉市〇〇〇丁目〇〇〇番地墓地二畝三歩の内一坪の呉市に対する使用権は零細価値のものであるけれども、被相続人が和枝に与える意思を有していたことが認められるので、和枝単独の使用権として分割するを相当とする。

このようにして現有遺産の分割をしてもなをアキ分において九万八千百三五円、和枝分において一六万六千九百八五円をそれぞれ相続分に充当することができない。そしてこの相続分は即ち遺留分に相当するものであること前項解明の通りであるから民法第九〇三条第三項により保護せらるべきものである。ここで疑問となるのは、共同相続人の遺留分を害する贈与又は遺贈がある場合に遺産分割手続において直接贈与又は遺贈の効力を否定して遺産を分割することができるかどうかの問題である。惟うに被相続人が共同相続人中のある者に均分相続分を超えて相続をさせる意思を表示した場合は、他の共同相続人の遺留分を害しない限度でその効力を有することを定めた民法第九〇三条第三項の規定は、減殺の請求があるまでは遺贈又は贈与の効力を認める一般遺留分に関する規定の特別規定とみなければならない。けだし共同相続人間の遺産分割の手続は、遺産の範囲の確定、相続財産とみなすべき贈与又は遺贈の認定、それらの価額の確定、共同相続人間における遺留分を害する遺贈または贈与の存否の認定等一連の関連において処理すべきものであつて、それらの一を除外しては竟に遺産分割手続の完遂は期せられないのであるから、民法は遺産分割の迅速適正の処理を期待して特別の規定を設けたものと解せられるのである。このように解釈すれば本件においても家庭裁判所は、遺留分を害する贈与又は遺贈の効力を否定して、直ちにそれらの目的となつたものにつき分割を行うことができるのであるが本件は贈与と遺贈が併存しているので民法第一、〇三三条の類推により、先づ遺贈の目的となつた別紙第三目録の物件中呉市〇〇〇丁目〇〇〇番ノ三宅地三二坪一合三勺は、申立人和枝のために分割した主文一の(い)の家屋の存する土地であつて、その評価額は二五万七千四〇円であるから、申立人アキ、和枝両名の遺留分侵害額を合算した二六万二千百二〇円にほぼ匹敵するので、この物件に対する被相続人の遺贈の効力を否認し、これを申立人アキ、和枝両名の共有とし、その持分をアキ二六分の一〇、和枝を二六分の一六とするを相当と認め、家事審判法第九条第一項乙類第一〇号により主文の通り審決する」（広島家呉審判昭三三・一二・二六家裁月報一一・四・一六一）

計算のあらすじを述べると次のようである。被相続人が長男に遺贈の贈与によって資産の大部分を帰属せしめていることは、長男に均分相続分を超えて相続させるという意思を表示（持戻免除の意思表示）したものであると認定したうえで、これも、他の共同相続人に対しての贈与もすべて相続財産として遺産額を決定し、次いで相続分（割合）の算定にあたって長男以外の者の相続分は遺留分額（八分の一）のみ、長男は自己の遺留分＋自由分（八分の五）としそれぞれの相続額を決定している。ところが、共同相続人のうち二名（アキ和枝）については、現存遺産の分割をしても、相続分（遺留分）に充当できない。結局その額は、長男に対する贈与・遺贈が遺留分を侵害しているのであるとして、その割合において遺贈を無効としているのである（無効とする点については後述【46】）。ここでは、遺留分算定の基礎財産の算定は示されておらず（その抽象的割合のみが算定され、同時にそれが長男以外の者の相続分とされている）、ただ、相続分算定の遺産額のみが計算されている。しかし、実質的には、長男以外のものの遺留分を算定し、各自それを満足させた上で、残りをすべて長男に帰属せしめるという計算方法をとっているのである。ゆえに、ここで相続分算定の遺産として計算しているのは実質的には、遺留分算定の基礎財産なのである。第三者に対する贈与も、債務も存在していないから、それで誤りはない。相続分の計算という点からのみみれば、一旦長男に対する贈与・遺贈に持戻免除の意志表示があるとみながら、相続分算定の遺産に加算することは矛盾しているが、相続分算定のための遺産額を、遺留分算定の基礎財産とよみかえ、そして、持戻免除の意志表示あるものも、これに算入するという立場をとれば本審判には矛盾はない。又、そうい趣旨だとみるべきであろう。

ところで、学説であるが、肯定（算入）説（近藤・相続下五七二頁、柚木・判相二〇六頁）と否定説（中川編・注釈下二二三頁（島津）、高梨「遺留分の算定」法セ四八号二九頁）が対立している。もし、形式論理的に考えるならば、持戻財産が無制約的に加算されるのは、計算上相続財産を構成するものであるからであり、ゆえに、相続財産の構成から除外される持戻免除をうけた贈与は、その他の一般贈与と同様に、一〇三〇条に定めるカテゴリーに含まれるということになろう（もっとも、後に述べるごとく、島津・高梨教授はかかる形式論的立場から否定されるのでない）。しかしかかる解釈は、著しく他の共同相続人に不利な結果を生ずる。けだし、一年以内になされたものでない限り、悪意の認定が厳格であるだけに算入されないこととなり、その結果、いかに多額の贈与がなされていても、算入の対象とならず、したがって又、減殺の対象ともならない。被相続人が遺産の大部分を長男に集中する目的で贈与した場合には、【29】の認定のごとく、持戻免除の意思表示があるとみるのは自然である。遺留分制度は、共同相続人間の平等を維持するという目的、機能をもっていることは明らかであるが、否定説はかかる機能を殺してしまうこととなる。それに又、九〇三条三項は持戻免除の意思表示は、遺留分に関する規定に反しない範囲内で効力を有すると規定するが、否定説では無意味となる（くわしくは、高木「遺留分の算定」家族法大系Ⅶ二七二頁（二四）参照）。なお、島津・高梨説は、もし、持戻免除の表示のある贈与を当然に資産に加算し、減殺に服させることとすると、持戻が行われない他の場合、すなわち、相続の放棄、欠格事由の存在、廃除の審判の確定があつた場合（このような場合には資産に加算し減殺に服せしめる法文の根拠がないとされる）と権衡を失することとなるとされる。しかし、相続の放棄等の場合に算入しないとすること自体が問題であって（かつて、持戻免除の意思表示は、被相続人のなすものであって、遺留分制度は、被相続人の恣意から守る制度であるから、かかる相違が生じてもやむを得ないとした（「遺留分の算定」二六三頁）が、今は考えを改める）、後述するごとく算入すべきなのであり、かかる権衡論は採用し難い。それに否定説は、持戻免除の意思表示ある遺贈についてはどのように考えるのであろうか。同じく算入を否定せざるを得まい。それでは、贈与は、一般贈与として一応算入の可能性が与えられるのに、遺贈にはない。この相違を合理的に説明することは不可能であろう。

そもそも、現行遺留分法は、明治遺留分法を構造的には、そのまま承継していることは、既に述べたところであるが、明治相続法が、家督相続（単独相続）中心であったことから、遺留分の規定も、単独相続を前提した規定であり、共同相続の場合における共同相続人間の遺留分問題については、何らの配慮もなされていないといって過言でない（ただ、一一四六（民一〇四四）が一〇〇七（民九〇三）を準用しているのみ）。現行相続法は、共同相続が建前である。しかるに、明治遺留分法の規定そのままである。かかる意味で、現行遺留分法の規定はかなり不備であり、ここの問題は、この一例である。ところで、贈与の算入に関する一〇三〇条は、明治民法一一三三条をそのまま承継したものであり、第三者への贈与を対象として規定していることは明らかである。共同相続人間の処理としては、九〇三条の準用があるのみである。しかも、九〇三条により、当然に加算されるものは持戻財産のみであり、他の持戻免除ある贈与、受贈者が相続を放棄した場合、更には、相続欠格・廃除により共同相続人の資格を喪失ないし取得し得なかった場合の贈与の計算上の処理については法の欠缺というより他ない。比較法的にみてもこれら贈与の算入を認めている。もっとも、フランス民法は、いかなる贈与であれ、無制約的に算入する（フ民九二二）。従って、遺留分基礎財産の構成という点からは、共同相続人間の贈与であれ、第三者に対する贈与であれ差はない(Planiol et Ripert, op. cit., n°60)。持戻免除のある贈与でも算入されるのは当然であつて、日本民法の解釈には、何の参考ともならない。しかし、スイス民法は、一般第三者への贈与は、相続開始前五年以内になされたものを算入するとし(ス民五二七3・四七五)、持戻財産については、明文の規定はないが、学説上当然に無制約的に算入するものとしており(A. Escher und Arnold Escher, Kommentar zum schweizerischen Zivilgesetzbuch, Bd. III S. 200 ff., H. L. Vital, Die Verfügungsfreiheit des Erblassers nach dem schweizerischen Zivilgesetzbuch, S. 173, 203)、わが民法の構成と類似し、スイスの立法・解釈は、参考となる。それでは持戻財産の性質を有していながら、持戻を要しない場合に、いかなる態度をとつているかというと、明文の規定で遺留分の算定にあたつては算入すべきとしている(ス民五二七I・四七五、Escher und Escher, a. a. O., S. 534 ff., Vital, a. a. O., S. 203 ff. とくに、持戻免除については、Vital, a. a. O., S. 250)。

共同相続人間の公平をはかる上からは、当然にかくあるべきである。持戻免除の意思表示ある場合に、これを算入しないことの不当は前述したが、共同相続人の一人が相続を放棄した場合も全く同じである。殊に、廃除・欠格の場合に、かかる相続権喪失原因なかりし場合と比べて、より有利であることは到底認め得ない。九〇三条の適用ないことから、直ちに、一般第三者への贈与として考えるべきでなく、遺留分算定の問題においては、共同相続人間の公平をはかるために、法の欠缺の場合として、スイス民法と同じ解釈がとらるべきと思う。

なお、最後に、九〇三条の定める贈与に該当しない贈与がなされている場合は、これは相続財産の前払いとしての性質を有するものでなく、ゆえに、いわば、第三者に対する贈与とまったく同様に考え、一〇三〇条を適用すべきである(もつとも、このような場合は稀であろうが)。

(b)　単独相続の場合　遺留分権利者一人彼自身が贈与をうけている場合、その贈与を算入すべきであろうか。第三者への贈与が減殺の対象となつている場合に、遺留分の算定にあたつてこのような問題が生ずる。

生計の資本として受けた贈与を算入すべしとした判例【30】がある。原審が、これを加算せずして遺留分を算定したので、上告人（受贈者）が攻撃したのに対して、上告審は、原審の計算した減殺額が、これを加算して計算した真正減殺額の範囲内であるとして、原審判断を維持している。判文上からは算入するという法理を見出すことはかなり困難であるが、これに関する部分を掲げよう（本判決は民事判例集に登載されているが、この部分は削除されている）。

【30】「然レトモ原審カ所論ノ金二千五百円ヲ相続財産ニ加算セサリシハ失当ナリトスルモ原審認定ノ相続開始当時ノ相続財産ノ総価頼（額の誤り―筆者注）一万五千三百七十七円ニ之ヲ加算シタル一万七千八百七十七円ノ半額八千九百三十八円五十銭ヨリ右ノ二千五百円ヲ控除シタル残額六千四百三十八円五十銭ニ付テハ芳子カ遺留分ヲ有シタルモノト云フヘク之ヲ原審認定ノ上告人喜代一ノ贈与ヲ受ケタル目録第三号記載ノ不動産ノ価額五千五百八十円上告人藤三郎ノ贈与ヲ受ケタル目録第四号記載不動産ノ価額九千七百九十七円ノ割合ニ応シテ分ツトキハ喜代一ニ対シテ減殺ヲ請求シ得ヘキ額カ二千三百余円トナリ藤三郎ニ対シテ減殺ヲ請求シ得ヘキ額カ四千百余円トナルコトハ算数上明白ナリ然ルニ更ニ原審ノ認定スル所ニ依レハ右目録第三号記載不動産ノ一部タル目録第一号記載不動産ノ価額ハ金二千八十円ニシテ目録第四号記載不動産ノ一部タル目録第二号記載不動産ノ価額ハ金三千九百円ニ過キサルカ故ニ本件減殺ノ請求ハ何レモ半額ノ遺留分権ヲ有スル被上告人カ其ノ権利ノ範囲内ニ於テ為シタルモノニシテ原審カ之ヲ認容シタルハ結局正当ナリト

云フヘク論旨採用シ難シ」(大判昭九・九・一五新聞三八〇一・九)。

共同相続にあつては、かかる贈与が算入されることは明文の規定があり(一〇四四・九〇三)、問題はない。ところで、九〇三条は共同相続の場合のみの規定である。ゆえに、単独相続の場合に算入すべきかどうかは、共同相続の場合のように必ずしも自明のことではない。しかし、九〇三条の趣旨は、かかる贈与が、本来相続分の前払いの性質をもつているからに他ならない。ただ、単独相続の場合には遺産分割の予備的操作としての相続分の計算のごときは、必要ないので、九〇三条は共同相続の場合についてだけ規定を置いたのである。かかる贈与が、相続分の前払いたる性質を有することは単独相続でも、共同相続でも異なるところはない。理論上は、むしろ「現在する相続財産」のカテゴリーに含まれるべきである。【30】は当然である。

(ホ)　第三者のためにする無償の死因処分　以上のごとき贈与の加算は、実質的には遺言処分と同じ結果をもたらすからであるが、とすれば以上のごとき民法の列挙する生前処分以外でも、それと実質を同じくするものは資産に加算せしむべきである。かかるものとしては、第三者のためにする無償の死因処分が挙げられている(近藤・相続下一一二八頁)。たとえば、売買契約において、売主が買主との特約で、代金を、売主死亡の時に、第三者に給付すべきことを約した場合のごときである。第三者は売主の権利を承継するものではなく、直接に、買主に権利を取得するのであり、従つて、贈与ではないが、実質的には、それに類似している。ゆえに、加算さるべきである。

ところで、かかるものに属するものとして、特に、生命保険契約において、第三者を保険金受取人に指定する行為が問題となつている。判例はないが、重要問題であるので、学説を紹介しておく。

第三者が保険金受取人として指定（他人のためにする保険契約）されているときは、受取人は、保険金請求権を、契約者の承継人としてでなく、自己固有の権利として、原始的に取得するものと解され、相続財産ではなく、受取人の固有財産とされている（大森「保険金受取人の法的地位」生命保険契約の諸問題四七頁）。しかも、契約者から承継的に権利を得るのでないから、贈与あるいは遺贈によつて取得したとはいえない。しかし、遺留分の算定において全然考慮しないかといえば、通説は何らかの範囲での加算をみとめる。その根拠は大体において次のようなものである。

契約者が、受取人を自己自身に指定したり、あるいは、誰をも指定しなかつたときには、契約者自身が権利を取得し、相続財産に帰属するのに、第三者を指定すれば、その者にその権利を取得せしめるのであるから、贈与類似の無償処分とも見られる。又、遺言をもつて受取人を指定したときには、権利は相続財産に属し、遺留分の算定について顧慮されることを考えると、生前行為である受取人の無償指定を、その考慮の外におくことは、権衡を失することとなる。従つて、何らかの範囲で、遺留分の算定において基礎財産に加算すべきである。

問題はその範囲であるが、通説（近藤・相続下一一三〇頁以下、大森「保険金受取人の法的地位」五九頁以下、中川編・注釈下二二四頁以下（島津））は、スイス民法四七六条が、契約者の死亡時における保険金請求権の買戻価格を相続財産に加算するとしているのに従い、同様に解している。というのは、契約者は、理論上、死の瞬間において、任意に保険契約を解除して、自らその買戻価格を利得し、その利得を遺産中に残し得るのに拘らず、これを解除しないままに契約が終了したのであるから、この買戻価格が死亡の時に出捐され、それだけ遺産が減少したと見るのが合理的であるからと説明されている（とくに、近藤・相続下一一三〇頁以下）。なお、受取人の指定を死因贈与類似とみるか、それとも贈与類似と見るかによつて、その全額が加算されるのか、それとも一〇三〇条を適用するのかが問題となつてくる。これは結局、受取人が保険金請求権を何時取得するかの問題に繋がる。すなわち、指定によつて、契約者の死亡を条件とする権利を取得するのか、それとも、契約者の死亡によつて権利を取得するのかの問題である。大森教授は、前者とみて、指定が、契約者の死亡一年以前になされているときは、買戻価格の全額でなくて、一年以内の保険料の支払によつて増加した買戻価格分だけが算入されるべきであると主張されておられる（「保険金受取人の法的地位」六〇頁）。これに対して、安達氏は、被相続人が死亡時まで払い込んだ保険料の全額に対する割合を保険金に乗じて得た金額について、受益財産の持戻の対象とするとされる（民商四二巻二号二七三一頁）。しかし、最近、受取人の固有の権利であることを強調され、算入・減殺を認めない学説（遠藤「生命保険金請求権と相続」学習院大学研究年報七・五七頁以下、平館「生命保険金」判タ一二九号三六頁）が有力に説えられている（相続分の計算にあたつてのみ九〇三条の特別利益になるとされる）。

（へ）　遺族給付（法的性質については、西原「遺族給付の法的性格」損害賠償責任の研究(上)三六九頁以下）　遺族補償とか、弔慰金のごとき所謂遺族給付は、ある人の死亡によつて、その者の家族に支払われるのであるが、その相続財産性が問題とされている。通常、これらに関する法令は、受給権者を法定し、しかも、相続法とは異なつた範囲内の親族に、且つ、異なつた順位で定めている。このことから考えると、かかる遺族給付を、一旦相続財産に帰属せしめ、相続人間に配分させるのではなくて、法定の受給権者に直接的に取得せしめるのが法意であるとされている（西原「遺族給付の法的性格」三九五頁以下）。従つて、相続財産ではなくて、受給権者の固有財産である。しゆえに、相続分あるいは遺留分の算定について、全然除外されるとするのも、一つの解釈である。しかし、このように考えると受給権者は、相続財産の配分にも参加することが出来、殊に、遺族給付額に対して、相続財産が少額の場合には、如何にも、他の相続人に比して厚遇され過ぎるように感じられる。そこで次のような解釈が主張されている。受給権者を一種の特別受益者（九〇三条）と考えて、相続分・遺留分を計算する。しかし、遺族給付は受給権者にとつて、専権的なものであり、絶対に変更し得ない（西原「遺族給付の法的性格」三九八頁）。この考え方に立つと、遺留分の算定には遺族給付は加算されるが、減殺の対象とはならないこととなる。とすると、遺留分権者の相続分が遺留分に達せず、他に減殺し得べき贈与等がないとき、このような遺留分を如何に解すべきかという疑問が生ずる。もつとも、この点については、遺留分法が、遺族給付に関する法令によつて修正されていると解することによつて、一応の解決が得られるであろう。しかし、上記の解釈が支持されるためには、相続人間の公平というだけでなく、理論的には、遺族給付が、形式的には受給権者の固有財産ではあるが、実質上は相続財産であるということの論証が必要であると考えられる。たとえば、恩給法による未受領給付のごとく、死亡した人が生前に当然受け取るべきものが遺族に支給される（西原「遺族給付の法的性格」三八四頁以下）ものについては、上記のごとき解釈が、妥当するように考えられる。しかし、遺族給付には、種々雑多のものがあり、その性格も、損害補償的、相続的、扶養的の三要素が、複雑に関連し合つて成り立つているとされ、従つて、一律に、このように解釈することには問題があるのではないかと思う。結局、個々の遺族給付の性格を検討し、相続財産的性格の強いものについて、相続財産として取り扱うものとすべきではなかろうか。

（ト）　退職金（退職金と相続との関係については、西原「遺族給付の法的性格」、糟谷「死亡退職金」判タ一三〇号、遠藤「相続財産の範囲」家族法大系Ⅵ）　労働者が労働契約の継続中に死んだ場合に直接に遺族に支給される退職金は、直接的に受給権者に帰属する。従つて、その者の固有財産である。しかしながら、退職金は、一種の未払賃金だとされている。とすれば、元来被相続人に帰属すべきものである。実質的には、相続財産であつて、相続分・遺留分の算定に考慮さるべきものである。しかし、受給権者が法定されている公務員等の死亡退職金については、相続法の特則が設けられているとみ（糟谷）、あるいは、遺族固有の権利（遠藤）とみて、算入・減殺を認めない学説もあるが、退職金の性格については、私企業の場合とことなることがないのであるから、同様に解すべきである。

(3)　控除さるべき債務

私法上の債務のみならず、公法上の債務、すなわち租税債務、罰金等を含む。被相続人の負担した債務、すなわち相続財産中の債務であるから、遺贈によつて、相続人の負うべき債務が含まれないことは当然である。問題は、相続財産の負担たるべき費用、たとえば相続財産に関する費用（相続税・管理費用・訴訟費用等）や、遺言執行に関する費用（遺言書検認申請の費用、管理費用、相続財産目録調整の費用等）がここの債務に該当するかである。立法論としては、ここの債務に含めるべきであるとしても、かかる結論を認めると、遺留分権者が贈与の減殺を以つて、これを支弁することを要しないと定めている民法八八五条二項の規定や、遺留分権者が、かかる費用の負担により遺留分を減ずることを認めないとする一〇二一条但書の規定を無意味としてしまうこととなる。ゆえに、通説は、ここの債務から排除すべきものとしている（中川編・注釈下二二五頁（島津）、高梨「遺留分の算定」三〇頁、近藤教授は、上述の理由から、解釈論としては一応疑問あるとされながらも、両条文を無視することを提唱しておられる（相続下一一三六頁））。

（二）基礎財産の評価

(1) 評価の方法（谷口教授の詳細な御研究がある「相続財産の評価」家族法大系Ⅵ三〇三頁以下、特に三〇六頁以下、相続分算定のための評価と、遺留分算定のための評価の間に差異はないであろう）

（イ）債権の評価は、必ずしも券面額によって定まるのではなくて、債務者の資力・担保の有無によって定まる。ゆえに、債務者に充分な資力があり、あるいは、担保が存在する場合には債権であるという理由で、同額の評価額を有する不動産より、経済上劣等なる財産ということはできない。

【31】「債権ニ関シテハ債務者ノ資力ノ程度担保ノ有無等ヲ斟酌シ又不動産ニ関シテハ其性質所在地等ヲ斟酌シテ具体的ニ定ムルコトヲ要ス不動産ハ其不動産タルノ一事ヲ以テ其評価額ト同額ノ債権ヨリ経済上優秀ナル価値ヲ有スル旨ノ実験法則又ハ社会通念ナシ蓋債権ト雖モ其債務者カ有資力者ニシテ且ツ之ヲ担保スル抵当権其他ノ物権存スル以上ハ其価額ト同額ノ評価額ヲ有スル不動産ヨリ経済上劣等ナル財産ト云フコトヲ得サレハナリ」（大判大七・一二・二五民録二四・二四二九）。

（ロ）抵当権付不動産の贈与の評価は、贈与財産額より抵当債権額を差引いてなすべきとする判決がある【32】。

【32】被相続人Aが、Y（被告・被控訴人・被上告人）に被担保債権二千円の抵当権付不動産（五千五円）の贈与をし、X（原告・控訴人・上告人）が、これの減殺請求をしたのである。原審の認定によると、なお当時三千八百十円ないし三千三百十円の残余財産が残存していた。そこで原審は、贈与の評価として目的不動産の価額五千五円から抵当権の負担二千円を控除し、三千五円と評価したうえ、全財産の二分の一（遺留

分二分の一）以下の処分であるから、遺留分権利者を害することを知りてなしたる贈与でないとしてXの請求を斥けた。これに対し、Xは上告理由として、遺留分の算定は贈与財産額（五千五円）プラス残余財産額（三千八百十円）——なお原審の認定は三千八百十円ないし三千三百十円となつている——マイナス抵当債務（二千円）として遺留分を算定し（三千四百七円五〇銭）、そして、贈与財産の価額を五千五円と定めた上で、当事者双方の加害の認識を認定すべきであると主張した。これに対して、上告審は原審の判断を支持した。

「遺留分ノ額ヲ算定スルニ当リ抵当権ノ設定シアル不動産ノ贈与ニ付テハ特別ノ事情ナキ限リ贈与財産額ヨリ抵当債権額ヲ差引キタル残額ノミノ贈与アリタルモノト解スルヲ妥当トスヘキカ故ニ該抵当債権額ハ之ヲ贈与不動産額ヨリ控除シテ計算スヘキモノト謂フヘク原審亦同一見解ノ下ニ挙示ノ証拠ニ依リ竹之丞（A）カ贈与スルコトナク自己ニ留保シタル財産ノ昭和五年八、九月頃ノ価額ハ合計三千八百十円若ハ三千三百十円ニシテ又被上告人両名（Y_1・Y_2）ニ贈与シタル財産ノ右時期ニ於ケル価額ハ贈与財産ノ価額合計五千五円ヨリ抵当債務ヲ二千円ヲ控除シタル三千五円ナリト認定シ右贈与当時ノ贈与財産ノ価額ハ残存財産ノ価額ヲ越ヘサルカ故ニ本件贈与ハ其当事者双方カ遺留分権利者ニ損害ヲ加フルコトヲ認識セスシテ行ハレタルモノト判定シ他ニ叙上ノ認定ヲ覆スニ足ル確証ナシトシテ上告人（X）ノ本訴請求ヲ排斥シタルコト原判文ニ徴シ明瞭ニシテ右証挙ニ依レハ斯ル認定ヲ為シ得サルニ非サルト同時ニ必スシモ所論ノ如キ解釈ノ下ニ贈与財産及残余財産ノ各価額ヲ算定スルヲ要スルモノニ非サレハ原判決ニ実験則ニ背反シテ事実ヲ認定シタル違法アリト謂フヘカラス」（大判昭一五・一〇・二六新聞四六三九・五）。

注意すべきは、本判決は、一年前の贈与についての加害の認識に関する判例であつて、直接的には、遺留分基礎財産に算入さるべき贈与の評価に関する事件ではないことである。本判決は、昭和一五年になされているが、前述したごとく、昭和一一年【21】に贈与が残存財産を超えてなされ（遺留分二分の一の事件について）、かつ、残存財産の増加の認識のないことが、加害の認識の内容であることが確定しており、本判決は、前半の条件がととのっていないことを理由として減殺（従って又算入）を拒否しているのである。

もっとも、遺留分の算定にあたっての贈与財産の評価にあたっても、抵当権付の場合は、被担保債権を控除すべきであろう。贈与財産の一種の負担なのであるから。しかし、注意すべきは、遺留分の算定にあたって贈与をこのように評価し、遺留分基礎財産に算入し、その上で更に、抵当債務を遺産中の債務として控除してはならないことである。それでは、二重の控除となる。抵当債権の第一次的責任財産は抵当権の目的物（贈与財産）であり（三九四Ⅰ）、実質的には、相続財産（現存財産）の負担ではない。従って、遺留分の算定においては、現存財産プラス（贈与財産マイナス抵当債務）と考えねばならない。

（ハ）　負担付贈与の評価について【33】がある。遺留分権利者X（原告・被控訴人・被上告人）の先代Aが死亡し、相続が開始した。財産関係は次のようである。現存財産三八円、死亡一月前に、八百七十八円をY_1（被告・被控訴人・上告人）に、千二百七十三円をY_2（被告・被控訴人・上告人）に贈与した。なお、Aは、八百六十二円九十三銭五厘の負債を有していたが、Y_1への贈与に際して、債務を引受けさせた。

原審は次のように遺留分を計算した。遺留分算定の基礎財産として、現存財産に、Y_1がAの債務を引き受けたことにより生じた債権（八百六十二円九三銭五厘）とY_1・Y_2の受けたる贈与を加え、そこよりAの債務を差引き、残額をもって、遺留分算定の基礎財産とし、その半額（遺留分の割合二分の一）千九百四円五十銭をXの遺留分の額とした。計算の過程を示せば、

38＋862.935＋878＋1273－862.935＝2189（遺留分算定の基礎財産）　$2189 \times \frac{1}{2} = 1904.5$（Xの遺留分）。

そして、Xが承継した財産は、

38＋862.935＝900.935　を遺留分額から控除し、1094.50－900.935＝193.565 が遺留分の侵害額であり、Xが自己の遺留分を保全するに必要な限度でなしうる減殺請求の額は、193.56＋862.935＝1056.50 であるとする。

そして、Y_1・Y_2同日になされた贈与の減殺は（同日になされた贈与の減殺の順位については【70】）Y_1の贈与は価額八百七十八円より負担金額八百六十二円九三銭五厘を差し引いた残額十五円六銭五厘を基本とし、Y_2の贈与はその価額千二百七十三円を基本として、減殺すべき金額千五百六円五十銭を按分し、Y_1の贈与中より十二円三十五銭七厘、Y_2のそれより千四百四円三厘を減殺するとした。

これに対して、大審院の示した計算方法は次の通りである。

【33】「被上告人（X）ノ遺留分ハ春五郎（A）カ相続開始当時有セシ第三目録記載ノ不動産ヲ価額金三十八円ニ上告人才次（Y_1）ニ贈与シタル第一目録記載ノ不動産ノ価額金八百七十八円及上告人タマノ（Y_2）ニ贈与シタル第二目録記載ノ不動産ノ価額金千二百七十三円ヲ加ヘ其中ヨリ債務額金八百六十二円九十三銭五厘ヲ控除シタル残金千三百二十六円六銭五厘ノ半額金六百六十三円三銭二厘五毛ナルトコロ春五郎（A）カ相続開始ノ当時有セシ財産ハ前金三十八円ノ不動産ノミナルヲ以テ（金八百六十二円九十三銭五厘ノ負債アレトモ此ノ負債ハ上告人才次（Y_1）ニ於テ引受ヲ為セルヲ以テ之ヲ計算ニ加ヘス）金六百六十三円三銭二厘五毛ヨリ金三十八円ヲ控除シタル残金六百二十五円三銭二厘五毛ニ相当スル不動産ハ之ヲ上告人両名（Y_1・Y_2）ニ贈与シタル財産ヨリ之ヲ減殺スルコトヲ得ルモノニシテ上告人才次（Y_1）ニ贈与シタル不動産ニ付テ

ハ贈与不動産ノ価額金八百七十八円ヨリ引受債務金額八百六十二円九十三銭五厘ヲ控除シタル残金十五円六銭五厘ヲ基本トシ又上告人タマノ（Y_2）ニ贈与シタル不動産ニ付テハ贈与不動産ノ価額金千二百七十三円の基本ト為シ之ニ前記金六百二十五円三銭二厘五毛ヲ按分シテ上告人両名（Y_1・Y_2）ニ対スル各減殺額ヲ定ムルヘキモノトス」（大判大一一・七・六民集一・四五五、田中(誠)・判民六七事件）。

数式を示せば次のようになる。

遺留分算定の基礎財産＝38（現在財産）＋878（Y_1の受けたる贈与）＋1273（Y_2の受けたる贈与）－862.935（債務額）＝1326.065,

Xの遺留分＝$1326.065\times\frac{1}{2}$＝663.0325,

遺留分侵害額＝663.0325－38＝625.0325,

Y_1の被減殺基本額＝868－862.935＝15.065.　Y_2の被減殺基本額＝1273,

Y_1の被減殺額＝$625.0325\times\frac{15.065}{15.065+1273}$,　Y_2の被減殺額＝$625.0325\times\frac{1273}{15.065+1273}$（計算の過程だけを示しており、$Y_1$・$Y_2$の被減殺額は計算していない）

問題の第一点は、遺留分算定の基礎財産額の算定であるが、煩をさけるために、かりに現存財産額a、Yへの贈与額b（簡単にするためにY_2は考慮外におく）、債務額cとしてあるべき計算方法を考えてみることとする。なお、本件では、債務の引受という言葉が用いられているが、債務引受かそれとも履行引受か、債務引受としても免責的債務引受か、併存的（重畳的）債務引受か必ずしも明らかでない（あとでのべるように本件では併存的債務引受か履行引受のようである）。しかも、それぞれによって、遺留分算定の過程に相違を生ずる。まず、それぞれについて、計算方法を考えてみる。

①　免責的債務引受の場合　最も簡単である。現存財産 a、贈与財産（$b-c$）債務なしとなる。遺留分算定の基礎財産 $=a+(b-c)$。贈与財産の評価について債務額を差引くことは当然である。贈与財産額 a と債務額 c がYに承継されたのであり実質的な受贈額は（$b-c$）である。相続財産の側からみても、相続財産から b 額の積極財産が逸出したと同じに、c 額の消極財産が減少しており、実質的に相続財産の枠外に出た財産額は（$b-c$）である。それが計算上再び持戻されるのであるから加算される贈与額は b ではなくて、（$b-c$）である。

②　併存的債務引受の場合　より複雑である。結論的には、遺留分算定の基礎財産 $=a+c+(b-c)-c$ と考えるべきである。贈与財産を（$b-c$）と評価する点は①と同じである。その理は①の場合と少し異なる。Yの負担する債務は相続人のそれを承継したものでなく、遺産中から債務がなくなるわけでない。相続財産の側からみれば、贈与財産はまるまる逸出したものとみられる。更に受贈者の側からみても、①の場合と異なり、相続人の側から履行されれば、まるまる贈与財産が彼の手に残留することもありうる。しかし、内部関係において負担部分がYの側にあるとすれば（本件の場合、併存的債務引受とみれば、負担部分は受贈者の側にある）相続人の側から、求償権を行使しうる。従って、贈与財産の実質的価額として、負担部分額を差引かねばならず、①と同じこととなる。遺留分権利者の側からみても、債務が減少するわけでないが、受贈者の側で履行すれば、当然に消滅するし、自己の側で履行しても求償権を行使しうるのであるから、実質的に相続財産から逸出した贈与が（$b-c$）であることは①と同様である。そ

れから、債務額ｃが、①と異なり、遺産中に存在し、これが控除の対象となるが、前述したように実質的には遺産を構成するものでない。ゆえに、受贈者に対する求償権を加算し相殺しなければならない。そこで、上述のごとき数式が成立するわけである。しかし、結果的には①と同じである。①と②は債権者に対する関係では異なるが、遺留分の計算は、遺留分権利者と受贈者の内部での問題であり、負担部分が全部受贈者にある限り、異なった結論を生ぜしめるはずがない。

③　履行引受の場合　併存的債務引受とは、債権者との関係では相違が生ずるが、内部関係は同じである（四宮「債務の引受」総合判例研究叢書民法(14)六四頁以下）。もし、相続人側が履行した場合に、受贈者に対して求償権を取得するという関係であれば（本件はこの場合）②と同じ計算方法となる。

本件の場合、上述の三つのどれに該当するかは、必ずしも明らかでない。しかし、原審における計算過程において、Y_1の引受額を相続財産中の債権額として加算し、そして、債務額を控除していること、さらに大審院の計算でも、引受額を債務として控除していることからみて、少なくとも、免責的債務引受でないことは明らかである。とすれば、併存的債務引受ないし履行引受と考え、ａ＋ｃ＋(ｂ－ｃ)－ｃとして計算すべきである（Y_2への贈与は一応除外する）。しかし、原審のそれは、ａ＋ｃ＋ｂ－ｃであり、大審院のそれは、ａ＋ｂ－ｃである（上告審の算定方法に賛成するものとして田中（誠）・判民六七事件、柚木・判相四一七頁）。原審の計算は、Y_1に対する贈与の計算上の持戻をｂとし贈与額全額としたところに誤りがある。

これに対して、大審院の計算は、結果的には正しい。しかし、計算の過程は、免責的債務引受でもないし（類似しているが、ここでは債務は存在しないのだから、残存財産＋受贈額から債務を控除するというのは筋がとおらない）、併存的債務引受・履行引受でもない。そういう意味で、論理的な計算方法ではない。それにここではY_1の贈与はb全額と評価されているが、贈与の評価は、遺留分の算定においてのみならず、減殺の範囲としても問題となるのであり、民法は負担付贈与の減殺は目的物の価額から負担の価額を控除したものについてなされる(一〇三八)としているが、これは、減殺額の計算において、負担付贈与の評価では債務額を控除すべきとする趣旨であるが(原審・上告審ともに、Y_1に対する減殺額の算定にあたり、債務を控除している)、とすれば、遺留分の算定にあたっても、同じく債務額を控除したものを加算するのが論理的であろう。

次に減殺請求しうる額の計算であるが、原審・上告審の計算過程を示せば次の通りである。遺留分額をxとすれば、原審のそれは、

遺留分侵害額＝x－(a＋c)　債務が遺産中にc額存在するので、減殺額＝x－(a＋c)＋c＝x－aとなっている。上告審のそれは簡単であり、減殺額の計算においては、遺産中の債務を無視してx－aとなっている。結論的には同じであるが、免責的債務引受ないし履行引受の法律構成を忠実に反映した計算方法としては原審のそれが正しい。もっとも、遺留分の計算そのものに誤りがあり、結論的には間違っている。逆に、上告審の計算方法は結論としては正当である。

(2)　評価の基準時

遺留分権が具体的に発生し、遺留分の範囲が決定するのが相続開始時であることから考えると、評価時も相続開始時ということとなる【34】【35】(中川編・注釈下二三七頁(島津)、近藤・相続下一一三九頁)。

【34】「遺留分権利者カ贈与ノ減殺ヲ請求シタル場合ニ於テ贈与カ遺留分ヲ保全スルニ必要ナル限度ヲ超

ヘタルヤ否ヤ従テ該請求カ正当ナルヤ否ヤヲ判定スルニハ相続開始ノ当時ニ於テ相続人ノ有セシ財産ノ其ノ当時ニ於ケル価額及ヒ曩ニ被相続人カ贈与シタル財産ノ相続開始ノ当時ニ於ケル価額ヲ……」（大判大七・一二・二五民録二四・二四二九）。

【35】「以上ノ贈与ハ相続開始前一年内ニ為サレタル結果其目的物ノ価格ハ善次郎カ相続開始当時有セシ財産ノ価格ニ算入シテ以テ遺留分算定ノ基礎ト為ササル可カラス而シテ相続開始当時ニ於ケル前記贈与ノ目的物ノ価格ハ大正五年十二月二十日分ハ合計金千三百八十六円六十六銭同月二十一日分ハ合計金三百二十二円五十銭同年五月十七日分ハ合計金九百五十八円五十一銭ニシテ此ノ三口合計金二千六百六十七円六十銭余ナルコトハ原審鑑定人ノ鑑定ニ徴シ之ヲ認ムルコトヲ得ヘシ」（東京控判大一〇・六・二九新聞一九二〇・一七）。

もっとも【29】は、遺産が不動産である場合は、分割時を標準として評価し遺産とみなされる贈与については、贈与時の価額を遺産分割時の貨幣価値に換算した価額をもって、贈与財産とみるとしている。本審判は遺産の評価にあたっては、相続分計算(遺産分割)のための評価という外形をとっているが、前述したごとく、ここでは相続分計算のための遺産と遺留分算定の基礎財産が一致しているために同時に遺留分基礎財産の価値ということにもなっている。従来の判例・通説と異なった基準時がとられていることが注目される。従来この問題について論ぜられることは少なかったが、谷口教授は最近「開始日より数年後に分割がなされる場合や、経過年数は少なくとも貨幣価値の変動が著しかった場合などにおいて、開始日の価額を基準とすることが不公平であり、実際上当事者を満足せしめる分割を行うことにはならぬように思われる場合が多く、むしろ分割時を基準にすることを基調として、公平上、特別の配慮を行うのがよいのではないかと考える」とされる（「相続財産の評価」家族法大系Ⅵ三一〇頁）。今後、検討さるべき問題であろう。

四　遺留分権利者に遺贈・贈与がなされている場合

割合額(二参照)と、遺留分算定の基礎財産額(三参照)が定まると、遺留分権利者一人あたりの具体的な遺留分額が決定されることとなる。ところで、遺留分権利者に対して、贈与ないし遺贈がなされた場合はどうであるか。学説は、それによつて遺留分の額は変らないが、それを相続利益として遺留分侵害額の計算にあたつて控除することとしている(たとえば、柚木・判相四二四頁、中川編・注釈下二五五頁)。しかし、贈与・遺贈にも、持戻免除の意思表示のあるものもあり、しからざるものもある。そして、前者の場合はむしろ自由分の一部として(それが、他の遺留分権利者の遺留分を侵害する場合には、減殺の対象となる(九〇三Ⅲ))贈与・遺贈されているとみ、別に遺留分額を取得するとするのが、被相続人の意思に合するものと思われる。持戻免除の意思表示のないものだけを相続利益とし、遺留分の一部として控除すべきであろう。フランスでは、はつきりと両者は区別され、前者は自由分の一部として、後者は遺留分の一部として計算している(Ripert et Boulanger, op. cit., n°s 2980, 2981)。【29】はこの点からみても興味深い。長男に対する贈与・遺贈(遺産の大部分)は持戻免除の意思表示あるものとし、これらはすべて自由分として計算されている。すなわち、長男の相続分を計算するにあたり、遺留分八分の一と自由分八分の四、合計八分の五を彼に帰属させている。逆に、他の共同相続人に対する贈与は(持戻免除の意思表示あるとみていない)は、各自の相続利益の一部とし、これと残存財産の分与額をあわせたものが、遺留分に満たない額だけを、九〇三条三項違反として長男に対する遺贈を無効としているのである。フランスにおける見解とまったく同一である。これが、被相続人の意思に合した解釈であろう(なお、我妻＝立石・親族相続六四一頁以下参照)。

五　基礎財産額ゼロないし債務超過のときの遺留分・自由分の算定方法

遺留分の基礎財産額がゼロ（債務を控除してゼロとなる場合に限る）ないし債務超過のときに遺留分従って自由分の算定方法が問題とされている。たとえば、資産百万円、贈与五十万円、債務百五十万円といった場合である。判例上かかる事例はなく、この問題についての判例上の計算方法を知ることができないが、古くから学説上論争されているので、ここでとりあげることとする。二つの有力な考え方が主張されている。第一説・第二説ともに、100＋50−150＝0という計算をし財産ゼロとする。ただ、第一説は基礎財産がゼロであるから、遺留分はゼロだとし、贈与の減殺はできないとする。

それに対して、第二説は、基礎財産がゼロということは、むしろ被相続人の処分自由の範囲が皆無であるということを意味し、ゼロなのは遺留分ではなくて、自由分であるとし、贈与は減殺の対象となるとする。そこで、いずれの見解を採るべきかは、民法が法定相続主義を原則としているか、それとも遺言相続主義を建前としているかによって決すべきものとされたり（民法が法定相続主義をとり、遺留分が不可侵的相続部分だとする見解から、第二説をとる立場として、近藤・相続下一〇九八頁、中川監・注解下四四二頁。逆に、被相続人の意思に基づく処分を尊重するのが民法の建前とし、第一説をとられるのが高梨「遺留分の算定」法セ四八号二九頁）、あるいは、受遺者・遺留分権利者・相続債権者間の利害関係から論議されている（島津教授は、受遺者の利益よりも相続人の利益を、相続人の利益よりも相続債権者の利益を優先させるべきとされ、第二説をとられる（中川編・注釈下二一九頁）。それに対し、高梨教授は、結局、相続債権者の利益に帰すような贈与の減殺を認める必要なしとして、第一説をとられる。三〇頁以下）。

しかし、第一説と第二説は対立する考え方なのであろうか。異なった結論を生み出す考え方なのであろうか。すなわち、遺留分額が異なったり、贈与の減殺をなしうべきかどうかで結論を異にするであろうか。そうではないと思う（なお、以下遺留分基礎財産がゼロの場合のみを例にあげて説明するが、債務超過の場合も、理論は同じである）。第一説と第二説は同一のことがらを、一方は遺留分の側から、他方は自由分の側から表現しているに過ぎない。第一説には錯誤がある。というのは、債務が存在し、遺留分がゼロの場合に、そのことから直ちに減殺請求額をゼロとするところに誤りがある（第二説の側も、第一説の評価にあたつて、同じ誤りをしている）。けだし、債務が存在する場合、減殺請求額の計算は次のようになる。たとえば、資産額をa、債務額をb、遺留分をc、減殺請求額をxとすると、（a＋x）－b＝c，x＝c＋b－aである。（a＋x）が、遺留分権利者の手中に入る積極財産額であり、そこから相続債権者に弁済を要する債務額cを差引いた残額が遺留分額とならないといけない（遺留分額がプラスであれ、ゼロであれ、マイナスであれ同様である）（債務が存在する場合の減殺請求額の計算については、柚木・判相四二四頁参照。計算過程はことなるが、結果的には同じである）。債務額を差引くのは、減殺財産が、相続財産として相続債権者の責任財産の対象となる（近藤・相続下一〇五九頁、谷口・遺留分一九一頁、中川編・注釈下二三三頁（島津））ことの帰結であつて（この点が後述のフランス式計算と異なる原因である）、遺留分権利者の手中に入る積極財産から、債務を差し引いた額が遺留分額とならないといけないのである。とすれば、上述の例にあてはめ、遺留分ゼロとして、減殺請求額を計算すると、減殺請求額＝0＋150－100＝50　すなわち、五〇万円全額を減殺しうる。くどいようであるが、結局、遺留分権利者の手中にのこるのはゼロであり、かくて遺留分はゼロなのである。第二説のように自由分の側からの計算とまったく一致する。ここでは、減殺額は、贈与額から自由分の額を差し引いて定めるが、同じく五十万円である。もつとも、高梨教授は、減殺したところで、債権者に帰すのだから、減殺を無益として、第一説を主張される。この点だけにしぼつて考えればもつともである。とすれば、このことは遺留分ゼロの場合だけに限つたことはない。フランス民法は一般的に減殺財産から遺産債権者が弁済を受けることを禁じた（フ民九二一）。ここまで徹底すれば筋は通る。遺留分ゼロの場合だけ、たとえ減殺しても手許に残らないからとして減殺を認めず、遺留分がわずかでもあれば、債権者にとられる部分を考慮して減殺額を計算するのでは態度が一貫しない。しかも、わが国では単純承認が原則として行われていることを考えると、減殺財産すべてが遺産債権者にとられても、相続人には大きな利益である。

なお、次のごとき見解も発表されている。贈与財産は、債権者より見た場合は、債務者たる被相続人の財産中より確定的に逸出したものであるから、相続開始の時に存した財産から弁済を受けることにより満足すべきである。従って、資産額から債務額を引き、ゼロとし（実はマイナス）、それに贈与額を加えて遺留分を計算すべき（結局、贈与額が遺留分算定の基礎財産となる）であるとする（柳川・相続下六二一頁）。この考え方は、減殺財産から、相続債権者は弁済を受け得ないとする考え方に基づくものであり、フランス式計算方法である（Planiol et Ripert, op. cit., n°82）。前述のごとく、フランス民法は、贈与の減殺の利益は遺留分権利者のみに帰属し、遺産債権者には帰属しないとする明文の規定があり、従って、かかる解釈が可能となる。しかし、上述したごとく、減殺財産について遺産債権者が弁済を受け得る日本民法上ではかかる解釈はとり難い。

四　遺留分の保全

一　遺留分侵害行為の効力

（一）遺留分侵害の意義　遺留分の侵害とは、遺留分権利者の受けた財産額が遺留分に満たないこと、換言すれば、被相続人が自由分を超えて無償の生前もしくは死後処分をした状態をいう。被相続人のなした行為であることを要する。一旦、相続人の相続した財産をたとえ被相続人の遺志に基づくものであれ、相続人が第三者に贈与し、その結果、残存額が遺留分に満たなくなつたとしても、遺留分の侵害ありとはいいえないとする判決【36】がある。

【36】「民法ニ於テ家督相続人カ法律上其受ク可キ遺留分ヲ侵害セラレタルトハ被相続人カ生前処分若クハ死後処分ヲ以テ其相続ニ因リ法律上相続人カ受ク可キ権利ヲ自カラ処分シタル場合ヲ云フモノナレトモ本件ハ然ラスシテ原院ノ認メタル所ニ拠レハ被相続人ヨリ一旦相続人タル上告人ニ移転シタル権利ヲ更ニ上告人ヨリ之ヲ風穴岩松ニ移転セシメタルモノニシテ縦令其移転カ被相続人ノ遺志ニ基キタルモノトスルモ其行為ハ上告人ノ為シタル行為ニ外ナラサルカ故ニ之ヲ以テ遺留分ノ侵害ト云フヲ得ス」(大判明三五・六・二七民録八・一六五)。

(二)　当然無効であるか　遺留分侵害行為も、当然には無効ではない。減殺請求し得るのみである。民法起草者も明言しており(第二〇二回法典調査会議事速記録二丁参照)、学説も自明の理としており、判例も【37】【38】【39】も同旨である。

【37】「遺言者カ遺留分ノ規定ニ違反シタル遺贈ヲ為シタル場合ニ於テ法律カ遺留分権利者ニ対シ其遺留分ヲ保全スルニ必要ナル限度ニ於テ減殺請求権ヲ認メ以テ其違反セル遺贈ノ効力ヲ排除スルヲ得セシメタル点ヨリ観レハ遺留分権利者ニ於テ該請求ヲ行使セサルニ於テハ仮令遺留分ヲ害スル遺贈ト雖モ依然其効力ヲ有スルモノナルトハ一点ノ疑ヲ容レサルトコロニシテ……」(名古屋地判大九・七・二新聞一七五〇・一七)。

【38】「遺言者カ其全財産ヲ遺贈ノ目的ト為シ遺産相続人ノ遺留分ヲ害シタリトスルモ遺留分権利者ニ於テ其減殺ヲ請求シ得ルニ止マリ其遺言ヲシテ全部又ハ一部(遺留分ヲ侵害シタル範囲ニ於テ)無効タラシムルニアラサルコトハ民法第千百三十四条ノ規定ニ依リ明カナレハ右抗弁ハ失当ナリトス」(大阪控判昭六・一二・二三新聞三三六三・一六)。

【39】「遺留分に反する譲渡行為であつてもそのため当然無効となるものではなく減殺請求に服するにす

ぎない」（最判昭三五・七・一九民集一四・九・一七七九、谷田貝・法時三三巻二号九二頁以下、谷口・民商四四巻二号三二〇頁以下、福地（陽）・神法一〇巻一号八四頁以下）。

問題となる点が二つある。一つは遺留分の章以外に、特定の無償処分について「遺留分に関する規定に違反することができない」（たとえば、民九〇二Ⅰ但・九六四但、明民一〇〇六Ⅰ但・一〇六四但・九八八但）とか、「遺留分に関する規定に反しない範囲で、その効力を有する」（民九〇三Ⅲ、明民一〇〇七Ⅲ）という表現を用いている条文が存在しており、かかる処分行為の侵害行為の効力いかんである。他は、遺留分侵害行為と公序良俗則との関係である。

(1)　まず、第一の点であるが、結局、これらを、遺留分の章の規定の特別規定と解して当然無効とするか、それとも、単なる注意的規定と解し、一般の遺留分侵害の無償処分行為と同じく、単に、減殺請求権の対象となるにとどまるとみるかである。以下、それぞれの行為について個別的に述べる。

(イ)　旧法時代の判例として、隠居相続に際しての財産留保（民九八八但）が遺留分を侵害する場合についてのものが多い。新法下では、この問題自体消滅したが、一応紹介することとする。

結論的にいえば、全部留保の場合は、(2)でのべるごとく公序良俗則を適用して当然全部無効としたが、一部留保の場合は減殺請求に服するのみとするのが判例であった。この問題についての民法施行後の事件として最初の大審院判決（明四四・一二・一民録一七・七四五（民法施行前の財産留保の効力については大判明四一・四・二一民録一四・四五八（全部無効）、大判大四・六・二民録二一・八七三（同旨）がある）は、減殺請求に服するとし、時効期間について遺留分の規定たる民法一一四五条の適用があるとした。隠居者が、所有土地について、財産留保をした事件である。

【40】「民法第九百八十八条但書ニ『家督相続人ノ遺留分ニ関スル規定ニ違反スルコトヲ得ス』トアル意味ハ留保ヲ為ス際ニモ家督相続人ノ遺留分ハ之ヲ害スルコトヲ得サルモノニシテ若之ヲ害シタル場合ニハ遺

留分ニ関スル規定ニ則リ減殺請求権ニ服セサルヘカラサルハ勿論此減殺請求権行使ノ方法、効力、範囲及時期等ニ付テモ従テ遺留分ニ関スル規定ニ拠ルト云フニ外ナラサルコトハ多言ヲ俟タサルヲ以テ従ヒテ留保ノ場合ニ於テモ其ノ減殺請求権ハ又民法第千百四十五条所定ノ一年ノ時効ニ罹ルモノト解スヘキハ当然ナリ」（大判大一二・四・一七民集二・二五七、穂積・判民四八事件）。

本判決前にも、多くの大審院判決があるが、それらはすべて民法施行前の事件に関するものであり、民法施行後の事件についての大審院判決としては最初のものであり、以後、この領域でのリーディングケイスとなっている。

なおこれより以前にも、下級審で減殺請求に服するとする判決【41】【42】（【41】の控訴審）があった。

【41】「被告及従参加人ハ本件留保ハ相続人タル被告ノ遺留分ヲ侵害スルヲ以テ無効ナリト主張スレトモ遺留分ヲ侵害シテ留保ヲ為シタル場合ト雖トモ之カ為メニ全然留保ヲ無効タラシムルモノニ非スシテ唯遺留分ヲ侵害セル限度ニ於テ相続人ノ減殺請求権ニ服スヘキモノタルニ過キサレハ此主張モ亦採用シ」（千葉地判大一〇・一・一三評論一〇・五四八）。

【42】「隠居者ノ留保ニ家督相続人ノ遺留分ニ関スル規定ニ違反スルコトヲ得サルコトハ同法第九八八条ニ定ムル所ナレトモ隠居者カ遺留分ノ規定ニ違反シテ留保ヲ為シタル場合ニ於テ遺留分ヲ侵害セル限度ニ於テ家督相続人ノ減殺請求権ニ服セシムルニ於テハ家督相続人保護ノ目的ヲ達シ得ヘキカ故ニ遺留分ノ規定ニ違反スル留保ハ無効ニ非スシテ右減殺請求権ニ服スルニ過キスト解セサルヲ得」（東京控判大一〇・八・八評論一〇・八五五）。

更に、昭和四年の二つの判決【43】【44】は、【40】に従い、減殺に服するのみとした。

【43】「然レトモ家督相続人ノ遺留分ヲ害スヘキ財産留保ハ減殺請求権ニ服スルニ止リ当然無効ニ非ス而シテ斯ル減殺請求権ニ付テモ民法千百四十五条ノ規定ノ適用アルモノナルコト当院ノ判例（大正十二年(オ)

第二〇八号同年四月十七日第一民事部判決参照）トスル所ニシテ右判例ハ今之ヲ変更スルノ必要ヲ見ス然ラハ原判決カ所論ノ抗弁ヲ排斥シタルハ正当ニシテ論旨ハ理由ナシ」（大判昭四・一・二二民集八・六、穂積・判民二事件）。

【44】「案スルニ隠居者カ財産ノ保留ヲ為シタル場合ニ於テ其ノ留保カ家督相続人ノ遺留分ヲ害スルトキト雖之ヲ以テ直ニ公序良俗ニ反スルモノト云フヲ得サルカ故ニ民法第九十条ノ規定ヲ以テ之ヲ律スヘキ限ニ非ス所論引用ノ明治四十一年四月十二日云渡ノ当院判決ハ其ノ後明治四十四年十二月一日云渡ノ当院判決ニ依リテ変更セラレタリ即該留保ノ全部又ハ一部カ当然無効トナルモノニハ非スシテ遺留分ヲ害スル限度ニ於テ減殺請求ニ依リテ始メテ減殺ノ結果ヲ来スモノニ外ナラサルコトハ既ニ当院判例ノ之ヲ明ニセルトコロニシテ（大正十二年四月十七日云渡当院判決参照）右判例ハ固ヨリ之ヲ変更スルノ要ヲ見サルモノトスサレハ本件ニ於ケル留保ノ全部又ハ一部カ当然無効ナルコトヲ主張スル論旨ノ採用スヘカラサルヤ云ヲ俟タサルトコロナリト云ハサルヘカラス」（大判昭四・三・一一新聞二六八八・一五）。

なお、【44】は、公序良俗則の適用についても、これを拒否している（公序良条則との関係については後述一〇八頁以下）。

（ロ）　遺留分を侵害する包括遺贈（民九六四、明民一〇六四）について判例【45】は同じく当然無効ではなく減殺請求に服するのみとした。

【45】「遺言者ハ遺留分ニ関スル規定ニ違反セサル限リハ包括名義ヲ以テ其ノ財産ヲ処分スルコトヲ得ヘク又縦令遺留分ニ関スル規定ニ違反シ其ノ財産全部ヲ処分シタリトスルモ単ニ減殺請求権ニ服スルニ止マリ其ノ遺言全部ヲ無効ト為スヘキモノニ非スト云ハサル可カラス」（大判昭五・六・一六新聞三一七一・七）。

判例は、遺留分侵害行為はすべて減殺請求の対象となるのみであって、当然無効ではなく（全部財産留保の場合は例外【47】）、従って遺留分に関する規定（明民一一四三—一一四五、民一〇四〇—一〇四二）の適用があると解していたとみてよいであろう。

それに対して、旧法下の学説は、それぞれの処分行為について個別的に考えていたが、大体において、当然無効説(一部無効か全部無効かを別として)が多数をしめていた(全部無効説(相続分の指定について、柳川・相続上五七六頁、仁井田・相続四五九頁)、遺留分侵害の範囲において無効とする一部無効説—財産留保について、柳川・相続上四五三頁、仁井田・相続四四一頁、牧野・相続二三三頁、穂積・相続㈢六七八頁(全部無効か一部無効か明確でない)、包括遺贈について、牧野・相続四九六頁、近藤教授は、すべての場合について一部無効相続下五五七頁(指定相続分)五七二頁(持戻免除)、上三六七頁(財産留保)、判遺一六七頁以下(包括遺贈)—減殺請求説(包括遺贈について、柳川・相続下二八六頁以下、仁井田・相続五九二頁、穂積・相続㈡四〇七頁)、指定相続分について穂積・相続㈠二二三頁)。それに対して新法下の学説は、すべての遺留分侵害行為の効力を減殺請求に服せしめる説が圧倒的である(指定相続分について、中川編・注釈上一六四頁(加藤)、中川・大要二一四頁、我妻＝立石・親族相続四三二頁、青山・相続二八八頁、柚木・判相一九七頁、持戻免除の意思表示について、中川編・注釈上一七三頁(薬師寺)、中川・大要二三〇頁、我妻＝立石・親族相続四三九頁、青山・相続一一三頁、柚木・判相二〇六頁以下、包括遺贈について、中川編・注釈下二五頁(山中)、我妻＝立石・親族相続五五二頁、柚木・判相三八二頁、なお、福島教授は、相続分の指定・持戻免除の意思表示について無効説を、包括遺贈については減殺説をとられ(相続九九・一〇四・二〇七頁)、於保教授は、指定相続分について無効説を主張されておられる(相続七六頁))。

しかし、このような場合、贈与とか特定遺贈と同じように単純に解してよいかには疑問がないではない。かかる場合に共通したことがある。というのはいずれも、共同相続人間において生ずる問題であり、遺産分割の前提として解決を要する事柄であるということである。このことは包括遺贈とても例外でない。包括受遺者は名義こそ受遺者であるが、実質的には指定相続人である(民九八〇参照)。ゆえに、遺産分割にあたつては、共同相続人と同一の資格で参加するのであり、遺留分を侵害する包括遺贈の取扱いも、相続人・包括受遺者間の遺産分割の前提として解決さるべきことである。要するに、いずれも、贈与とか特定遺贈とは異なつた問題を提起する。殊に、審判による遺産分割の場合、その手続的特殊性から、遺留分を侵害する範囲で当然無効を前提し、その上で遺産分割をするという必要性が存在しないかということが検討されねばならない(遺産分割の前提として遺留分減殺の判断をなしうるかという問題があるが後述する一四五頁)。【29】審判は、この点からみても興味があり、持戻免除の意思表示について当然無効説を主張している。全文を既に掲載したが、特に本問に関する部分だけ、ここでも紹介する。

【46】「こゝで疑問となるのは、共同相続人の遺留分を害する贈与又は遺留がある場合に遺留分割手続において直接贈与又は遺贈の効力を否定して遺産を分割することができるかどうかの問題である。惟うに被相続人が共同相続人中ある者に均分相続分を超えて相続をさせる意思を表示した場合は、他の共同相続人の遺留分を害しない限度でその効力を有することを定めた民法第九〇三条第三項の規定は、減殺の請求があるまでは遺贈又は贈与の効力を認める一般遺留分に関する規定の特別規定とみなければならない。けだし共同相続人間の遺産分割の手続は、遺産の範囲の確定、相続財産とみなすべき贈与又は遺贈の認定、それらの価額の確定、共同相続人間における遺留分を害する遺贈または贈与の存否の認定等一連の関連において処理すべきものであつて、それらの一を除外しては竟に遺産分割手続の完遂は期せられないのであるから、民法は遺産分割の迅速適正の処理を期待して特別の規定を設けたものと解せられるのである」(広島家審昭三三・一二・二六家裁月報一一・四・一一六)。

遺産分割の迅速な処理のためには、遺留分権利者の減殺請求をまつてはじめて、それを考慮にいれて遺産分割をするということは不便であろう。ことに本件のごとく、遺留分権利者が数人存在するような場合に、個々的な減殺請求の意思表示をまつてから、最終的な計算を行うならということにするといたずらに複雑となろう。本審判は、かかる煩雑さを避けるために、無効を前提として審判したものと思われる。しかし、それだからといつて、遺留分の一般理論の例外として当然無効とする必要はあるであろうか。後述の福島家裁審判【67】はこの解決として、遺産分割の審判申立てに遺留分減殺の意思表示が含まれているとしている。これは擬制ではあるが、黙示の意思表示をみとめる実体法理論の下では、それほど無理な構成ではない(【67】の解説参照)。それに、職権探知主義の審判のもとでは、当事者からの明示的な減殺請求がなくても、遺留分を考慮にいれてはならないというわけでなく、それを計算に入れて計算し、遺留分侵害の事実が明確になれば、遺留分権利者に減殺請求の意思の有無をたしかめることも可能であろう。その意思がないものにまで、遺留分の利益を帰属せしめることは、遺留分制度の趣旨にそうものでなく、又、その必要もない。現在の通説・判例に反してまで、当然無効と解する必要性はなかろう。

(2)　次に遺留分侵害行為と公序良俗則の関係であるが旧法時代に、隠居者の財産留保について、それが一部財産の留保の場合には、家督相続人の遺留分を害するということによって公序良俗則に違反するものでないといった【44】に対して、全財産の留保の場合には、公序良俗違反として無効とした。

【47】　「原審ハ訴外奈喜良シカ（隠居者—筆者注）ハ隠居ヲ為スニ当リ其ノ全財産ヲ挙ケテ之ヲ留保シタルモノナルコトヲ認定シ而モ斯ル財産留保モ仍ホ全然無効ニ非スシテ単ニ家督相続人ニ於テ遺留分ニ関スル規定ニ依リ減殺ノ請求ヲ為スコトヲ得ルニ過キスト為シ右留保財産タル本件不動産ハシカモ（ノの誤り？）隠居後モ其ノ家督相続人訴外奈喜良熊蔵ノ承継取得スル所トナラス依然シカ之ヲ所有シ居リ同人カ分家後死亡シタルニ因リ其ノ家督相続人タル被上告人ノ所有ニ帰シタリトシ以テ上告人敗訴ノ判決ヲ為シタリ然レトモ隠居者カ相続財産ノ全部ヲ挙ケテ之ヲ留保シ相続人ノ為ニ一物ヲモ遺サヽルカ如キハ実ニ家ノ存続ヲ危クスルモノニシテ公ノ秩序ニ反スルコト言ヲ俟タス従テ全然無効ノ行為ナリト謂ハサルヘカラス是既ニ明治四十一年(オ)第二十三号事件ニ付同年四月二十一日当院ノ言渡シタル判決ノ是認セル見解ナリ而シテ這ノ見解ハ大正十二年(オ)第二〇八号ニ付同年四月一七日言渡サレタル当院判決ト相牴触スルモノニ非サルヤヲ疑フ者無キヲ保セスト雖モ其ハ竟ニ杞憂ニ過キス蓋シ後挙ノ当院判決ハ隠居者カ相続財産ノ一部分ヲ留保シタルニ止マリ従テ家ノ存続ニハ何等ノ影響ナキモ其ノ留保シタル部分カ遺留分トシテ法律ノ定メタル埒ヲ越エ家督相続人ノ利益ヲ害シタル場合ノミニ関スルモノニシテ前叙ノ如ク留保カ相続財産ノ全部ニ及ヒ家ノ存続ヲ危殆

ニ陥ルル結果ヲ生シ公ノ秩序ニ反スル場合ヲモ同一ニ律セムトスル趣旨ニ非スト解スヘキヲ以テナリ然ラハ則チ原判決ハ法律ノ解釈ヲ誤リタル違法アリ」（大判昭九・一一・一〇法学四・四・一三〇、中川・総評二巻四五頁）。

次いで、昭和二五年四月二八日の最高裁判決【48】は、九〇条の適用を拒否した。

【48】 被相続人Aの養女BがAの家督相続をしたのであるが、BにはY（被告・控訴人・上告人）という債権者があり、YはBの相続財産と思われる物件に強制執行した。ところが、その物件は、Aが後妻であるX（原告・被控訴人・被上告人）に対して贈与されており、そこで、この強制執行に異議の訴をしたという事件である。

「原判決は、上告人の養父辰市（被相続人）はその判示の如き事情の下に実子を持たぬ、後妻である被上告人の将来を慮り、当時同人の所有していた本件、物件、その他一切の動産、不動産を挙げて、これを被上告人に贈与した事実を認めたのであつて、長子相続制を認めていた当時の民法下においても、これをもつて所論のように直ちに公序良俗に反する無効の契約とすることはできない。かゝる場合に、家督相続人に遺留分減殺請求権を認めた同民法の趣意からしても、右のごとき契約を当然無効とするものでないことは明らかである」（最判昭二五・四・二八民集四・四・一五二、我妻＝唄・判民一一事件、谷口・民商二七巻二号五四頁、小林・法学一七巻一号八五頁）。

事件は、旧法の適用されるものではあつたが、【47】とは逆に（財産留保と生前贈与の差はあるが）公序良俗則の適用を認めなかつた。

次いで、【47】と同じく隠居者の全財産の留保に関するものであるが、公序良俗則は適用されないとする昭和二九年一二月二四日の最高裁判決がある。

【49】 「なお財産全部の留保は相続人の遺留分について問題を生ずるだけで、留保を全面的に無効ならしめるものではないと解すべきである」（最判昭二九・一二・二四民集八・一二・二二七一、青山・民商三二巻五号一〇八頁）。

次に、完全に新法下の事件として、殆ど全財産を贈与した後に、残りの財産を全部遺贈したという事実で、同じく公序良俗則の適用を否定したものがある。

【50】「上告人（遺留分権利者―筆者注）の被相続人たる加藤誠司において所論のとおりその全財産に近い家屋敷、田畑等を挙げて被上告人に贈与した上、更に本件不動産及び動産を全部被上告人に遺贈したとしても、遺留分権利者において遺留分減殺を請求するのはともかく、右遺贈が公序良俗に反し無効であるといえない」（最判昭三七・五・二九家裁月報一四・一〇・一一一）。

結論的にいえば、【47】は公序良俗則の適用を認めているのに対して、【48】【49】【50】はこれを認めない。

ところで、これら四つの判決は、それぞれ処分行為がことなるということ以外に、時代的背景において特色がみられ、それが微妙に結論に反映しているように思える。

この点は後述することとし、まず九〇条と、遺留分減殺の規定との関係を一般的に述べることとする。結論からいえば、後者は前者の特別規定であり、ただこれのみが適用されると考えるべきである。この点は、旧法も新法も同じである。家産観念のもとでは、家の存在を危うくするような全財産の処分は、まさに「公序良俗」に反する行為といえよう。しかし明治民法は、同時に財産法原理として市民法的原理を採用していた。戸主から戸主への承継という家督相続観念と同時に、戸主の手においては個人所有の原理を認めていた。従って、一方では処分自由の原則を承認していた。遺留分制度は、この両原理の妥協として登場した制度である。このことは、遺留分制度自体のうちにみられる。一方では、減殺により一旦なされた行為の効力が奪われ、財産が取戻されるということを認めながらも、他方では、減殺請求権の物権的効力の制限（明民一一四三、民一〇四〇）、価額返還主義の事実的採用（明民一一四四、民一〇四一、民法起草者は立法理由として、被相続人の処分権の尊重とか、一般の取引の安全をあげており、市民法的考え方がみられる（二〇二回法典調査会議事速記録三四—三五丁））、減殺請求権の短期時効などにみられる。相続人（家）の保護は、明治民法下でもここまで後退していたのであった。新法下では、なおさらのことである。もっとも、ここでも自己の財産の上に共同の消費生活をしてきた遺族を路頭に迷わすことは「公序良俗」違反と評価しうる余地がある。しかし、ここでも、遺留分制度が、公序良俗則に代つて、相続人を保護する制度としての意味をもつており、九〇条の適用の余地はなくなつているとみなければならない。二重の保護は必要ないのみならず、これ以上に民法九〇条の保護を与えることは、大きく市民法原理を後退せしめ、特に、民法一〇四〇—一〇四二条の関係において、法の意図するよりも大きな利益を相続人に与え、取引の安全を害し（特に不動産取引において）、更には、短期消滅時効の適用をのがれ、いつまでも相続をめぐる紛争を生ぜしめ、法律関係の安定化をそこねることとなる（遺留分減殺と九〇条の関係については我妻＝唄【48】評釈参照）。

一般論はこの程度にして、個々の判決の分析に入ろう。まず【47】は、公序良俗則の適用を認めている。他の【48】【49】【50】と異なり、家督相続時代の事件であり、裁判もそうであるという点と、処分行為が隠居者の財産留保という点に特色がある。前述のごとく、旧法時代でも、九〇条を適用すべきでなかつた。しかし、他方前述のごとく遺留分制度自体の内に市民法原理が大幅に浸透しており、それだけに遺留分制度による保護だけでは不十分と考えて九〇条を適用する余地があつた。ことに短期消滅時効は遺留分権利者にとつて場合によつては酷である。それに本件では、隠居財産の留保であり、隠居者の生前において減殺請求権を行使することはできないという事情もあろう（穂積【40】評釈参照）。無効とすべき理由があつたかもしれない。しかし、それにしても、一部では減殺、全部では無効というのでは筋が通らない（中川【47】評釈、近藤・相続上三六七頁（一部でも無効と解される）、中川編・注釈下二三六頁（島津））。又、中川教授（【47】評釈四八頁）は、当時から「新法」的見地から、隠居そのものが取引に有害であり、まして財産留保を許すがごときはよくなく、減殺ですら迷惑であるのに、絶対無効としたら、公信的保護を欠く不動産取引は非常に不安になるとして強く批判された。

【48】は、旧法下の事件でありながら、裁判は新法時代であるというところに特色がみられる。しかも、減殺請求をする側は、遺留分権利者の債権者であり、相手方は被相続人の後妻であり、谷口教授（【48】評釈）は、原告は本来遺留分権利者の固有財産のみしか当てにしえなかつたものであり、被告は養母として夫死後の扶養等の確保のために夫から受贈したのであるから、被告を保護するのが衡平だとされた（もつとも、我妻＝唄・評釈は、旧法秩序を前提とすれば、債権者は、遺留分権利者の固有財産だけでなく、相続財産もあてにしていたということもありうるとされ、谷口教授の理由付けもいささか独断的な感がするとされる。しかし、旧法も、限定承認・放棄の両制度を採用していたことからみて、この期待も、被相続人の妻のぎせいにおいてまもる必要があつたか疑問である）。本件でなぜ、原告が公序良俗違反を主張したかといえば、原審で減殺請求権が消滅時効にかかつたとされたからにすぎない（【92】参照）。公序良俗則を適用して、遺留分権利者の債権者を保護するの理由なしと判断されたものと思われる。

次の【49】であるが、【47】と同じく、隠居財産の留保に関するものであるが、明らかに、新法下の裁判であるということが、類似事案の【47】ではなくして【48】に従わせたものと思われる。それから、【48】では、公序良俗則を適用しないということが、民法九〇条を排除する意味なのか、適用はあるが、本件の場合は、公序良俗に反しないと判断したのか不明である（我妻＝唄・評釈は両方の意味を含むとされる）。しかし、ここでは、はっきりと前者であることが読みとれる。

最後の【50】であるが、完全に新法下のものである点に特色がある。

二　遺留分減殺請求権

（一）性質　相続の開始によって、遺留分侵害行為の存在が確定すれば、遺留分権に基づいて具体的な遺留分減殺請求権（以下、減殺請求権と省略する）が発生する。これによって遺留分が保全されるわけである。ところで、この権利の性質についてであるが、学説はわかれている。

(イ)　形成権＝物権説　減殺請求（意思表示）によって、遺留分侵害行為（贈与・遺贈）の効力は消滅し、目的物上の権利は当然に遺留分権利者に復帰する。そして、遺留分権利者はこの権利（所有権等）に基づいて、目的物の引渡しを請求（物権的請求権）しうる。いまこれを仮に形成権＝物権説とよぶが、今日の多数説である（中川編・注釈下二三三頁（島津）、中川・大要三一四頁以下、我妻＝立石・親族相続六三八頁、柚木・判相四二九頁以下、青山・相続二六四頁、福島・相続二二五頁、於保・相続一七五頁）。

(ロ)　形成権＝債権説　減殺の効力を遺留分侵害行為の取消しであるとしながらも（この点では(1)の学説と共通する）権利は当然に遺留分権利者に復帰することなく、ただ、受遺者・受贈者をして返還の義務を負わしむるに過ぎないとする（梅・要義相続四三四頁以下）。いまこれを仮に形成権＝債権説と呼ぶこととする。

(ハ)　請求権説　減殺請求をもって単に受遺者・受贈者に対する財産引渡請求権あるいは未履行贈与ないし遺贈の履行拒絶権であるとする立場である（川島・民法Ⅲ二一二頁以下、槇「遺留分の減殺請求」家族法大系Ⅶ二八五頁以下、谷田貝・法時三三巻二号九二頁以下【61】評釈）。

今日の多数説は形成権＝物権説であるが、しかし、その根拠についてはほとんど説明がない。わずかに島津教授（中川編・注釈下二三三頁）が、(イ)の構成（物権説とよんでおられる）によつて、取戻財産の相続財産性が肯定され遺留分の相続分的性質と一致するとされるのみである。ところで、これには、次のような事情があつたとみられる。ドイツ民法では、遺留分権（Pflichtteilsrecht）が、具体的に実現されるためにとる形である遺留分請求権（Pflichtteilsanspruch）が、債権的請求権であるのに対し、フランス・スイス法では、遺留分権の行使は、遺留分減殺訴権（action en reduction, Herabsetzungsklage）によるものとされ、この訴えの性質は、形成の訴えであるとされている。もともと、大陸法上の遺留分制度には、二つの型があるとされている。一つは、ローマ法上の義務分制度に歴史的沿革を有するもの、他は、いわゆるゲルマン法上の遺留分制度に源を有するものである。ドイツ法上の遺留分制度が、前者に、フランス・スイス法上のそれが、後者に属する（序説二参照）。とすると、一見、表面的に考えると、ローマ法の系列に属する遺留分制度にあつては請求権的に、ゲルマン型に属する制度では、形成権的に（実体法的に構成して）、構成すべき、必然性があるかに見える。わが国の通説が、形成権と構成してきた背後には、単純にわが民法上の遺留分制度が、後者に属するものであるという理解が存在していたように思われる。

かかる通説に対して、近時請求権説の立場から次のごとき批判がなされている。

(イ)　川島教授は、従来の形成権説が、受贈者に対する財産の取戻し、あるいは、まだ履行されていない贈与あるいは遺贈の履行請求に対する抗弁の論理的前段階として、贈与・遺贈の失効を前提させるのに対し、法的技術としては、必ずしも、贈与もしくは遺贈の失効を独立の一段階として構成する必要はなく、むしろ不必要に複雑化するとされ、財産引渡請求権もしくは、履行拒絶権と構成される（民法III二二二頁以下）。

(ロ)　槇教授の御見解は極めて難解であるが、私の理解し得たところでは、要するに、減殺請求権の構成は相続法体系の近親者承継と指定者承継の二要因の比重によって定まり、前者から後者へと比重が移るにつれて、処分行為の当然無効から、形成権的構成へ、更に両者が対等の域に到達すれば、減殺請求権は、権利者同志の相対的調整の権利となり、形成は単に調整のための前提となり、債権的請求権に包摂されるとされる。そして、わが民法上の二要因の比重の評価にあたっては、新法の精神は家産観念の強い伝統的相続秩序の近代化を切望し、二要因によって示される自由と平等とを並存的に導入・確立することにあると考えられるとされ、債権説の可能性を主張される（「遺留分の減殺請求」二七五頁以下）。川島教授が、減殺請求権の構成を法技術的構成のそれだとみられ、そして形成権的構成における処分の失効を独立の一段階として構成することを無意味であるとされるのに対して、槇教授は、単に法技術的なそれにつきるものでなく、相続法における二要因によって規定されるといわれるわけであるが、結論的には、現行民法は、川島教授のいわれるごとく、処分失効を独立の一段階として構成することが無意味となるまで、指定者承継の比重がましてきているとされるわけである。

(ハ)　谷田貝教授は、【61】の結論に反対され、請求権説から、この判決の結論を排除されるが、請求権説の根拠として二つの点をあげておられる。一つは、減殺請求に際して、相手方は現物返還をするか価額返還をするかの自由をもっており、また贈与の目的が数個ある場合には、そのいずれを返還するかは相手方の選択に任せられていること（東京控判年月日不明新聞二六九号八頁を引用されるが、後述するごとく、判例はむしろ減殺請求者の側に選択権があるとしている【76】―【79】）は、減殺請求があつただけでは直ちに所有権が復帰せず、相手方の返還義務が履行されて、はじめて所有権の帰属が定まることを意味するとされる。第二として、減殺請求により当然失効するとすれば、その目的物は相続財産となり、共同相続人の共有となるはずだが、相手方は減殺請求をした遺留分権利者にのみ返還義務を負うものとなつていると。

形成権的構成か、それとも請求権的構成かは、法技術的問題であり、むしろ問題の中心は、遺留分権利者に、対世的、絶対的な物権的保護を与えるのか、それとも遺留分権利者と受遺者ないし受贈者との間の相対的な債権的保護を与えるのかというところにあると思われる（くわしくは、高木「遺留分権利者の法的地位」神法一二巻四号四一九頁以下参照）。もし、彼に物権的保護をすなわち物権的地位を与える必要があるならば形式権的構成をとらなければならない。けだし、論理的整合という観点から処分行為の失効を前提としないで、遺留分権利者の物権的地位を肯定し得ないからである。逆に、債権的保護を与えれば足りるのであれば、まさに、処分の失効を独立の一段階として構成する必要はあるまい（この意味において、形成権＝債権説は根拠を失う）。ゆえに、減殺請求権の法技術的構成は、遺留分権利者の法的保護手段として、いずれが、より合目的的であるかによつて決定されねばならない。問題は、遺留分権利者の法的保護がいかなるものであるか。物権的地位か、債権的地位か。相続人としてであるか、それとも、単なる債権者としてかにある。かかる観点から法技術的構成を吟味しなければならない。そして、川島教授のいわれるごとく、「法的技術としては必ずしも、贈与もしくは、遺贈の失効を独立の一段階として構成する必要はない」のか、を検討しなければならないと思う。

それでは、このことに留意しつつ、判例がいかなる態度を示しているかを以下検討してみることとする（時代順にみていく）。

【51】 事案は、遺留分権利者が形成の訴えの方法で減殺請求権を行使し、減殺の範囲内で目的物について、共有の登記手続を請求したものである。

「民法第千百三十四条以下ノ規定ニ依レハ遺留分ノ減殺ニ関シテハ遺留分権利者カ裁判所ニ請求シテ之ヲ確定セシムルコトヲ要スルモノニアラスシテ単ニ相手方ニ対シ相当ノ限度ヲ指定シテ減殺ヲ請求スル旨ノ意思表示ヲ為セハ爰ニ法律上減殺ノ効力ヲ生シ之ニ因テ相手方ニハ減殺スヘキ割合ニ応シテ受贈物ヲ返還スルノ義務ヲ生スル者トス而シテ此返還ノ義務ハ民法第千百四十四条ニ依リ価額ヲ弁償シテ之ヲ免ル丶ヲ得ヘキノミナラス受贈物ノ返還ヲ為スニ当リテモ数個ノ物件ニ就キ其何レヲ返還スヘキヤヲ定ムルニハ返還義務者ニ於テ選択権ヲ有スルモノトス故ニ被控訴人カ本訴ニ於テ遺留分減殺ノ判決ヲ求ムルハ自己ノ意思表示ノミニテ効力ヲ生スヘキ事項ニ付キ殊更裁判所ノ干渉ヲ求ムルモノニシテ謂ハレナキ請求ナルヲ以テ之ヲ排斥スルヲ至当トス而シテ右減殺ノ請求カ裁判上排斥スヘキモノタルコトハ前述ノ如キ次第ナルノミナラス遺留分権利者ヲシテ当然受贈物ノ共有者タラシムル効力ヲ生スルモノニアラサルカ故ニ被控訴人ノ登記手続ノ請求モ亦不当ナルヲ以テ排斥スヘキモノトス」（東京控判明三八月日不詳新聞二六九・八）。

本判決は、減殺請求権が形成権であることを前提としながらも、裁判上行使を要する権利でなく（後述）、裁判外の行使によって効力を生じ、裁判上はその効果として生ずる目的物返還請求権を行使すれば足りるとするものであり、かつ、その目的物返還請求権は債権的請求権であるとするのである（梅氏の形成権＝債権説にたつもの）。しかし、注意すべきは、請求権説にたっても、訴訟物たる減殺請求権の内容は、処分目的物の返還請求権であるから、本判決と同一結論を導きうることは論をまたない。ただ、当時の支配的見解である梅説を前提として（他の説からでも導きうる）上記結論の理由づけを行ったにすぎないのである。

更に、これにつづいて、同一趣旨の判決【52】【53】がみられる。

【52】「贈与取消ノ判決ヲ求ムル点ニ付キ案スルニ抑モ遺留分減殺請求ハ権利者ノ意思表示ニ依リテ直チニ減殺ノ目的タル贈与又ハ遺贈取消ノ効果ヲ発生シ敢テ裁判所ノ判決ヲ俟ツヘキモノニアラス換言スレハ遺留分減殺請求ニ対スル判決ハ創設的ノ効果ヲ発生スルモノニアラスシテ単ニ認定的効果ヲ発生スルニ過キサレハ権利者ハ単ニ目的物ノ引キ渡シ若シクハ抹消登記申請ノミノ判決ヲ請求スレハ足リ贈与若シクハ遺贈取消ノ判決ヲ求ムヘキモノニアラス随テ原告カ本件ニ於テ贈与取消ノ判決ヲ求メタルハ其ノ主張自体ニ於テ失当ナリ」（金沢地判年月日不詳新聞八一五・二三）。

【53】「減殺ノ請求ハ受贈者又ハ受遺者ニ対スル意思表示ニヨリ之ヲ為ス可キモノニシテ裁判所ニ対シ贈与又ハ遺贈ヲ減殺ス可キ旨ノ判決ヲ求ム可キモノニアラサルヲ以テ原告ノ該請求ハ此点ニ於テ排斥セサル可カラサルノミナラス……」（名古屋地判大五・六・二〇新聞一一七〇・二八）。

【53】は、はっきりと形成権であるとは述べていないが、減殺の請求を受贈者又は受遺者に対する意思表示でなすべきものとしていることは形成権を前提としていると解される（これ以外にも、減殺請求を意思表示としている判例は非常に多い。たとえば、【66】）。なお、【52】【53】は形成権説を述べていることはたしかであるが、形成権＝物権説か、形成権＝債権説か不明である。

【54】「其請求権ハ受贈者ニ対シ贈与ヲ相対的ニ取消スノ権利ニシテ贈与財産ニ関スル物権的請求権ニアラサルヲ以テ……」（大決大六・七・一八民録二三・一一六一）。

これも【51】同様に形成権＝債権説に立つ表現をしている（中川編・注釈二三三頁（島津）参照）。相続開始前に、減殺請求権の効果として生ずる所有権の取得について仮登記をなしうるかに関する【5】の理由中にこの表現がみられる。しかし、相続開始前に仮登記が許されるかどうかと、減殺請求権の性質とは何らの関りなく、単なる傍論にしかすぎない。

【55】「減殺請求ノ方法ニ就テ之ヲ案スルニ被控訴人ノ民法千百廿八条ニ従ヒ先ツ善次郎及ヒ山岸きいノ前掲贈与……ニ対シ減殺ヲ請求シ本訴ニ於テハ其余ノ分トシテ右贈与ノ直前ニ為サレタル贈与即大正五年十二月二十日善次郎ト控訴人間ニ為サレタル贈与ノ一部ニ対シ減殺ヲ請求シ……価額合計金六百五十一円九拾銭ノ返還ヲ請求スルモノナルカ故ニ其請求ハ正当ナリト謂ハサル可カラス蓋シ減殺請求権ハ法律行為ノ取消権若クハ解除権ト其ノ性質ヲ同フスル一種ノ形成権ニシテ其権利ノ行使ハ相続人ヨリ受贈者又ハ受遺者に対スル意思表示ニ依リテ之ヲ為スヘク而シテ本件ニ於ケルカ如ク贈与ノ一部ニ付減殺ヲ請求スル場合ハ目的物カ数個存スルトキハ権利者タル被控訴人ハ減殺シ得ヘキ部分ノ目的物ヲ適宜選択シ以テ其返還ヲ請求シ得ルモノト解スルヲ相当トスレハナリ」(東京控判大一〇・六・二 九評論一〇民法六二三)。

遺留分権利者が、減殺の目的物を選択し、その返還を請求したのに対して、その請求を正当なりと判断する理由として以上のごとくのべている。減殺の目的物を遺留分権利者の側で選択できるかどうかは一つの問題であり(後述一 五九頁)後段の論理こそまさに重要なのであるが、前段の論理である形成権的構成と論理的なつながりはなく、その意味するところは、【51】と同じく裁判外の行使により返還請求権を生ずるという趣旨であると解される。

次に、あいついで、遺留分回復の請求の訴えの管轄の決定について、減殺請求権の性質から論じているものがあらわれている。

【56】「遺産債権者ヨリ遺産者又ハ相続人ニ対シ右請求ヲ為スモノニアラサルハ勿論、不動産上ニ存スル物権ノ効果即物上請求権ニ基キ本訴請求ヲ為スモノニアラサルコト一点ノ疑ナシ、而シテ民事訴訟法第二十四条第一項ニ所謂相続権ニ基ク請求ノ訴トハ相続ノ確定相続ノ回復等ヲ目的トスル訴ノミナラス遺留分権利者ノ請求ニ関スル訴モ亦之ヲ包含スルモノト解スルヲ相当トスルヲ以テ……」（東京控判大一二・一一・二四新聞二二二三・一八）。

【57】「本訴ハ遺留分権ニ基ク贈与減殺ノ請求ヲ目的トシ其ノ減殺請求ノ目的ト為レル贈与財産タル不動産ノ返還ヲ求ムル為ニ其ノ所有権ノ移転登記並其ノ引渡ヲ求ムルモノニシテ即債権的請求権ニ基キ之カ請求ヲ為スモノナルニ因リ本訴ハ不動産所在地ノ裁判所ノ専属管轄ニ属スヘキモノニ非ス却テ民事訴訟法第二十四条ノ規定ニ依リ上告人ノ先代庄之助ノ死亡当時普通裁判籍ヲ有セシ東京地方裁判所ニ之ヲ提起シ得ヘキモノトス」（大判大一三月日不詳新聞二三六三・一九）。

事件はいずれも、旧民事訴訟法時代のそれであり、二四条に定める相続関係の裁判籍によらしめるとしているわけであるが、ただ、もし減殺請求権を形成権と解し、遺留分回復請求権を物権的請求権とするならば、目的物が不動産の場合には裁判籍は二二条の不動産裁判籍になると判断し、そこで、遺留分回復請求権を債権的請求権であるとしているのである（もっとも、請求権説なのか、形成権＝債権説なのか明確ではない。二二条の適用を避けるために、かかる立論をしているわけであるから、どちらでもよかったわけである）。

しかし、このような理由づけを必ずしも必要とすることはなかったのであり、たとえ、形成権＝物権的構成をとっても、二四条の相続裁判籍によるべきなのであった。けだし、形成権＝物権的構成から、遺留分権利者が目的物上に取得する権利は物権というよりも相続権であり（結局は同一であるが）、返還請求権も、単純なる物権的請求権ではなくて、相続回復請求権なのである（福島「遺留分制度の法理と判例(三)」民商二一巻・五、七合併号四八頁）。二四条の相続権に基づく請求のうちに当然含まるべき性質のものだつたのである。結局、三説とも同一結論を導くのであり、減殺請求権の性質と本来的に無関係のことがらなのであり、ただ、それぞれによつて説明の過程が異なるのみである（現行民事訴訟法では一九条で、遺留分に関する訴えは、相続裁判籍によるものと明文の規定で解決しておりこの問題は解消した）。

次に、減殺の目的物上の受贈者の取得時効をめぐつて、形成権＝物権的構成を明言しているのがある。

【58】受贈者が、贈与を受けたる後、減殺請求あるまで十年以上を経過しており、その間目的物上に善意占有をしていたから、取得時効が完成していると主張するものである。

原審は次のごとき理由で、これを認めない。

「被控訴人（受贈者―筆者注）ハ民法第百六十二条第二項ニヨリ大正九年二月六日以降十箇年ノ経過ト同時ニ本件不動産ノ所有権ヲ取得シタリト抗弁スレトモ減殺請求ノ効力ハ将来ニ向テノミ贈与ノ効力ヲ解消セシムモノト認ム可キトコロ控訴人（遺留分権利者―筆者注）ヨリ訴状ヲ以テ為シタル減殺請求ノ意思表示カ昭和七年二月二十四日其ノ効力ヲ生シタルコトハ前叙ノ如クナルヲ以テ其ノ間被控訴人ノ所有ニ帰属シ居リタル係争不動産ニ付同人等ノ為取得時効ノ完成ス可キ理由ナク……」

上告審では、形成権＝物権的構成については言及していないが、原審判決をそのまま肯定している（なお、本判決は民集一三・一七九二に登載されているが、この部分は削除され、新聞に載せられている。原審の判決は民集一三・一八〇三参照）。

「贈与ニ因リ物ノ所有権ヲ取得シテ之ヲ占有シ居リタル者ハ縦令其ノ贈与カ後日減殺セラルルモソレマテ他人ノ物ヲ占有シ居リタルモノト云フヲ得サルカ故ニ右ノ占有ハ取得時効ノ要件タル占有ニ非サルコト言ヲ俟タス……」（大判昭九・九・一五 新聞三八〇一・九）。

【21】事件においても、原審でこのことが問題とされており、同一結論が述べられている。

【59】「控訴人ハ更ニ本件不動産ハ控訴人ニ於テ取得時効ニヨリテ其ノ所有権ヲ取得シタルニヨリ被控訴人ノ減殺請求権ハ消滅シタル旨主張スレトモ元来取得時効ハ他人ノ物又ハ権利ニ付テコソ発生スヘケレ自己ノ物又ハ権利ニ付発生スルノ理ナキトコロ控訴人ハ本件不動産ノ所有権ヲ有効ナル贈与又売買ニヨリ取得シタルモノナレハ之ニ付取得時効ノ発生スヘキ謂ナケレハ控訴人主張ノ右抗弁ハ採用ニ値セス」（民集一五・一二六二）。

この問題自体は後に、減殺請求権の消滅時効と取得時効の関係として述べるとして、ここでは、減殺請求権の性質との関連でのみ述べることとする。

【58】原審判決は、形成権＝物権説の立場を明らかにした上で、取得時効を否認しているが、形成権＝債権説・請求権説からも同一結論が生ずることはいうまでもない。むしろ、形成権＝物権的構成のほうが、受贈者は、「他人ノ物ヲ占有シタル者」（民法一六二条）となり、取得時効を認める方向に働くように思える。そこで、判旨は、形成権としながらも、その効果の発生を行使の時からとすることによって、それを避けたと考えられるのである。形成権＝物権的構成の立場では、その効果の発生をどこから生ぜしめるかは一つの問題であるが、贈与時まで遡及すると解しても、贈与時から、他人の物の占有として、一〇年ないし二〇年の経過により、取得時効が完成し、減殺請求権行使の効果として生ずる目的物の取戻請求権が阻止されるとは考えることができない。けだし、たとえ、贈与時から、受贈者は他人の物の占有者となるにせよ、あくまでも、それは法律上の擬制にしか過ぎず、減殺請求あるまでは、自己の物としての占有者として占有してきたのである（なお、占有の客体が他人の物であることを要件としない有力な学説もあるが（川島・民法I一八九頁）、ここでは、取得時効の完成と、減殺請求権の法的性質とは無関係であることは説明を要しない）。擬制的効果にたつて、取得時効を認めるのは制度の趣旨ではあるまい。取

得時効制度の理想はむしろ、本件の場合では、減殺請求権の消滅時効の側から(取消権・解除権の場合についても同じことがいえよう)あるいは、相続開始一年前になされた贈与の算入制限規定(民法一〇三〇条後段)の適用によりはかるべきである。結局、この問題も、減殺請求権の構成とは関係のない事柄である。

次に、遺留分権利者が、減殺請求の目的物たる土地・家屋が不可分のものであることを理由として、受遺者は土地・家屋の全部を返還し、遺留分権利者は遺留分を超える部分に相当する価格を返還すれば足りると主張したのに対して【60】は、次の理由で、両者の間に共有関係を認めることとし、これを以って現物返還とした。

【60】「右の限度(遺留分侵害の限度―筆者注)に於て亡たつこが被告に対してなした遺贈は失効し、本件土地家屋は何れも原告等四名が各自持分八分の一、被告が持分二分の一を有する共有となつたものと謂うべきである。……減殺の結果斯る共有関係を生ぜしめることも法律上は正に現物を以てする返還に外ならないのである……」(東京地判昭三四・五・二七判時一九〇・二八)。

この趣旨は、減殺請求権の行使により、その限度で処分行為の効力は失効し、その結果法律上当然に共有関係が生ずる。これが現物返還であるとするのである。ここでも、形成権=物権説が示されている。しかし、問題は返還の目的物いかんのそれであつて、減殺請求権の性質とは、論理的には直接の関係はない。本判決の結論は妥当であるが、このことは、減殺請求権を形成権と構成しようと請求権としようと変りはない。現物返還としては、共有関係を認めるだけで十分である。ただ、説明の論理過程において差を生じるのみであり、本判決はただ、形成権=物権的構成を前提として説明しているにすぎないのである。しいていうならば、形成権＝物権的構成では、意思表示の効果として共有関係が生ずるのに対して、形成権＝債権説・請求権説では、判決の効果として（民四一四Ⅱ但）、あるいは裁判外の履行では物権行為によって、この効果が生ずる差があるにすぎない。

比較的最近に、形成権＝物権説にたつ最高裁判決が公にされた。

【61】 遺留分権利者が、受贈者に対して、減殺請求をした後に、受贈者が、目的物（不動産）を、第三者に譲渡、登記も移転した場合に、更に譲受人に減殺請求をしたという事件である。原審仙台高裁は、減殺請求権を形成権として構成するとともに、登記の対抗力の問題として、拒否した。最高裁判所は、この原審判断を全面的に支持したのである。事実関係を簡単にのべると、本件係争不動産（建物・宅地）はAが所有していたが、Aの生前にAから孫であるBに贈与（登記済）された。その後、まもなくAは死亡し、そこで、Aの相続人X_1（原告・控訴人・上告人）（娘）・X_2（婿養子）はBに対し、本件不動産の贈与行為の減殺を請求した。ところが、まもなくBも死亡し、Bの姉弟Y_1・Y_2（被告・被控訴人・被上告人）が相続し（登記済）、彼等は、更にY_3に売買により所有権を移転（登記済）した。X_1・X_2はY_3に対して減殺請求したが、原審は、次の理由で拒否した。

「控訴人ら（X_1・X_2）のなした前記減殺の意思表示により、りエ（A）と忠良（B）間の本件不動産の前記贈与は控訴人ら（X_1・X_2）の有する前記各遺留分の限度において無効に帰したというべく、したがつて控訴人文五郎（X_2）の減殺請求のあつた昭和二五年五月二二日において本件不動産は控訴人両名（X_1・X_2）と忠良（B）の共有となり、控訴人両名（X_1・X_2）は本件不動産につきそれぞれ八分の一宛の共有持分を、忠良（B）は八分の六の共有持分を有つたとなすべきである。しかし控訴人ら（X_1・X_2）において右の各持分の取得につき登記を得ていないことは……明らかであるから忠良（B）を共同相続した被控訴人静子（Y_1）、同英良（Y_2）から前記のとおり本件不動産を適法に買いうけこれが所有権移転登記を経由した被控訴人男二（Y_3）に対し、控訴人（X_1・X_2）らは前記各持分の取得を以て対抗し得ないと解すべきである。控訴人ら（X_1・X_2）は、被控訴人男二（Y_3）は本件不動産を買受ける当時、遺留分権利者である控訴人ら（X_1・X_2）に損害を加えることを知つていたものであるから、同被控訴人（Y_3）に対しても本訴において減殺を請求する旨主張するけれども、同被控訴人が本件不動産を買いうけたのは前記のとおり控訴人（X_1・X_2）らの忠良（B）に対する減殺請求後であるから、かかる場合においては民法一〇四〇条但書の規定は適用なく、したがつて控訴人（X_1・X_2）らは被控訴人男二（Y_3）に対し減殺の請求をなし得ないと解するほかないのみならず」

これに対して、X_1・X_2は次の理由で上告した。

「相続人が受贈者、受遺者に一旦減殺権を行使した以上は更にこれらのものから事情を知つてその目的物件を譲受けた者に対して何故減殺ができないものであろうか。民法第一〇四〇条但書には「遺留分権利者はこれに対しても」とあつて即ち遺留分侵害者に対しても又はその譲受人に対してもと双方に対して権利行使ができる意味の字句を使用しているから遺留分権利者は侵害者から価額の弁償を受けてもよし又はその譲受人に対して減殺請求をしてよいわけである。これを理論的に見れば遺留分減殺権行使の効力を多数学説に従つて本条を第三者の保護取引の安全のために物権的請求権の本来的効力を抑えて第三者への追及を制限したものと見ても又反対の立場から詐害行為取消権類似の思想に基いて悪意の第三者への追及を認めたものと見ても（中川編・注釈相続法下二六九頁）受贈者に対して減殺請求をしたからと云つて、この後、これから譲受けた者に対して、減殺請求ができない理由は生じて来ない筈であつて、察ろ却つてその請求権行使ができるのが至当であろう」

これに対して、最高裁は原審を支持した。

「亡忠良（B）に対する減殺請求後、本件不動産を買受けた被上告人男二（Y_3）に対し減殺請求をなし得ないとした原審の判断……正当であり、その間に齟齬はないから、論旨はすべて理由がない」(最判昭三五・七・一九民集一四・九・一七七九、谷田貝・法時三三巻二号九二頁以下、谷口・民商四四巻二号三二〇頁以下、福地(陽)・神法一〇巻一号八四頁以下)。

上告理由は、減殺の対象となつた目的物が減殺後に第三者に譲渡された場合でも民法一〇四〇条一項但書を適用し、悪意の譲渡人に対し、減殺請求し得るとする。これに対し、判旨は民法一〇四〇条一項但書は、受贈者に対する減殺請求前に譲渡された場合に適用されるものと解し(明言はしていないが)、その上で登記の対抗力の問題として登記のないX_1・X_2はY_3に対抗し得ないとする。さらにふえんすれば、X_1・X_2の減殺請求により、遺留分の範囲内で贈与は無効となり、X_1・X_2は持分権を取得するが(なお、減殺請求権による失効は減殺請求したときからと解している)登記のない以上、その後のY_1・Y_2からの譲受人Y_3に対して持分権の取得をもつて対抗し得ないとするのである。請求権説にたてば、一〇四〇条一項但書の適用が、減殺請求の前後によつて左右されるはずはなく、Y_3が、譲渡の当時遺留分権利者に損害を加えることを知つておれば、Y_3に対して減殺請求し得ることとなる(Y_1・Y_2の無資力も要件となる後述一五三頁)。とすると、ここにはじめて、減殺請求権の性質によつて結論が左右される実例が提供されたこととなる。しかし、形成権説(形成権=債権説は、初期の学説・判例に限られており、したがつて便宜上、特に必要のない限り形成権=物権説を以下形成権説と呼ぶこととする)にたつたと前提しても、判旨の理論構成には疑問がある。もつとも、本判決の評釈者はこぞつて形成権説にたつ限り判旨の判断は正当であるとされる、谷口教授は「このことは、不動産の買受人Aが自己の所有権或は債権に基いて自らへの引渡或は登記の請求をして争つている間に売主Bが、第三者Cに売却して先に登記や引渡をしてしまつた場合に、似ているといえよう。即ちAが所有権者であることが明かになつてもBはCに二重譲渡して先に登記してしまえば、AはC

より取戻すことはできず、Bを責めるほかはない」とされる。谷田貝教授は「二重譲渡におけると同様に二個の物権変動の間における対抗問題となり、減殺請求者は、その対抗要件を具備しないで転得者に自己の権利取得を主張しえない……」とされる。両教授ともにY_1・Y_2とX_1・X_2の間と、Y_1・Y_2とY_3の間に、二重譲渡と同じ関係が生ずると解され、X_1・X_2は登記のない限りY_3に対抗し得ないと解されるのである。しかし、二重譲渡のケイスとは異なる。けだし、減殺請求権を形成権と解すれば、その効果として、被相続人AとY_1・Y_2の間の贈与は遺留分侵害の範囲内で無効となり、Y_1・Y_2はその部分について完全な無権利者となる（なお、以下の立論は形成権説を前提としての上での判旨に対する批判である）。二重譲渡の法律関係とは異なるのである。むしろ純理的には、Y_3は無権利者からの譲受人であり、登記に公信力のない結果として、たとえX_1・X_2に登記がなくとも持分権の対抗をなしうると解すべき場合である（もつとも、Y_3に遺留分権利者を害する認識と、Y_1・Y_2が無資力であるということが、転得者への追求の要件となつている（民一〇四〇）から、この面からの制限はうける）。

もつとも、対抗問題として登記の有無で優劣を決するかどうかは、単に、論理的な問題でなく、対抗問題とすべきかどうかの価値判断の問題でもある。したがつて、不動産取引の安全上対抗問題と解すべきであるとするならば、減殺請求の効果として、Y_1・Y_2に持分権が移転するとみ、登記のない限りは、対抗力ある物権変動ではないとすることも不可能ではないと思う。法律行為（たとえば売買）の取消の場合、取消によつて、目的物の所有権は移転しなかつたとみ対抗問題の生ずる余地なしとするのが、形式論理的な見方であろうが、通説は、所有権の復帰とみて、取消後の譲受人に対する関係では対抗問題と解することからみても、決して不自然でない。それでは、減殺請求権の場合、対抗問題とする必要性があるであろうか。結論的にいえば、このような場合にも、一〇四〇条一項但書を類推適用することにより、必要性は消滅するものと思う。たしかに、減殺請求をした後、遺留分権利者が、登記を放置したままでいつまでも、所有権を主張しうるということは取引の安全を害する（この点で法律行為取消の場合と酷似する。判旨には、おそらくこの理論が頭にあったものと思われる）。もし、取引の安全を護るについて何らの備えもないならば、対抗問題とし、登記の有無で決するのがよいであろう。しかし、一〇四〇条一項但書は、遺留分権利者の利益と、取引の安全とを適当に調和せしめている。もっとも、本条の本来の適用範囲は、減殺請求権の行使前に、目的物を第三者に譲渡した場合であることは、谷口教授の御指摘の通りである。しかし、減殺請求権行使の前後によって（形成権説では、単なる意思表示である）、一方では一〇四〇条一項但書で、他方は登記の対抗力で解決する実際的必要性はいささかもないと思う。本件のごとき場合にも、本条を類推適用し、動的安全と、静的安全の調和をはかるべきであろう（具体的には譲受人の側の悪意の認定によって）。結局、本件についても、形成権的構成と請求権的構成で相違は生じないのである（ただ、前者であると、いつまでも一〇四〇条一項但書の問題となるのに対して、後者では、受贈者が、目的物所有権返還行為をした後は、もっぱら登記の対抗力の問題となる差が生ずる）。

結局、減殺請求権の性質論とは無関係に、一〇四〇条一項但書の問題とし、Y_3に譲受当時遺留分権利者を害することを知っていたかどうか、Y_1・Y_2が無資力であるかどうか（民一〇四〇条の問題として後述する）によって決すべきであったと思う。

以上整理してみるに、【51】【54】が、形成権＝債権説、【58】【59】【60】【61】が形成権＝物権説を明言しているほかは、【52】【53】【55】は形成権説ではあるが、そのいずれかを明らかにせず、【56】【57】は請求権説とも解しうるが、形成権＝債権説とみることも可能である。大体の傾向をみるに、初期の判例理論は、梅説に影響されてか形成権＝債権説であり、多少の変動を経つつ、今日では通説同様に形成権＝物権説にたつていると評価してよいであろう。しかし、個々の判決の分析において述べたごとく、そのすべてが、いずれの構成をとつても相違を生ぜず、せいぜい説明のための論理過程に多少の相違を生ずるのみであり、ただ、【61】だけが、その形成権的構成と結論に直結している（その当否は別として）のが注目されるのみである。その殆んどは、当時の有力説の影響の下に、あるいは説明の容易さという点から（【56】【57】はこの感じを与える）、いずれかの構成を選んだという感じを強くうけるのである。

それではこの問題を理論的な面から眺めてみよう（ここでは、あまり理論的に立ちいることは、本稿の目的から余りにも大きくいつだつするので、大要だけのべ詳細は、高木「遺留分権利者の法的地位」神法一二巻四号四一九頁以下にゆずる）。

日本遺留分制度は、いわゆるゲルマン型の形をとつている。ところで、ゲルマン型遺留分制度では、遺留分権利者は相続財産の一部として受け取るわけであり、ゆえに理論的には遺留分権は物権的性質を有し、遺留分権に基づく財産取戻請求権は物権的請求権として考えられる。もつとも、物権的請求権であれ、債権的請求権であれ、相手方との関係における財産の取戻しという面だけから見れば、何ら異なるところはないであろう。しかし、取戻財産に関しては、相続債権者・相手方の固有債権者・受贈物上の権利取得者ないし権利設定者等利害関係を有する第三者の利害が錯綜しているのであつて、その間の処理が問題である。もちろん、法政策的にいろいろの方法が考えられる。しかし、このことは、論理的には、物権的請求権と構成するか、それとも債権的請求権とするかということと関連する。ドイツ法では、債権的請求権と構成することによつて、債権的地位しか遺留分権者に与えていない。

これに反して、ゲルマン型遺留分制度では、物権的地位を与えている。というのは、原則として取戻財産上に相続権を有するものとし、これら第三者との関係を解決する法理を、相続財産に関する一般的相続理論の中に求めているのである（このことは、未履行贈与・遺贈の目的物のごとき履行拒絶財産についても全く同じである）。ここでは、減殺請求権を形成権と構成し、相手方の権利を相続開始時まで遡及的に消滅せしめ、その反面遺留分権利者が、他の相続財産と同じく、目的物上に、所有権その他の権利を有すると理論構成することが、論理的には必要である。かかる解釈は、遺留分を相続分の一部とし、且つ、相続の直接承継主義をとる法制の下では、素直な解釈である。しかも、この形成権的構成は、ゲルマン型の特色である現物返還主義・取戻財産（履行拒絶財産）の相続財産性と、論理的には容易に結びつく。しかし、物権的地位を純粋に考えると、たとえば、受贈者の譲受人に対しては追求力があり、受贈物上に設定された物権は消滅し、果実収取権は相続開始時に遡つて生じ、更には、減殺請求の相手方の固有債権者に対しては遺留分権利者が優先するということとなる。しかし、現行ゲルマン型遺留分制度は、序説において述べたごとく、その物権的効力を大幅に緩和しており、形成権的構成を必然的ならしめる事情がほとんど消滅してしまつているのが現状である。それでも、フランス民法は、二、三の点で物権的効力をとどめていることは序説で述べたごとくであり、ここでは形成権的に構成されるだけの理由があるわけである。母法であるだけという理由だけで無批判的にとりいれるわけにはいかないのである。これまた前述したごとく、少なくともわが民法典の上では物権的地位はほとんど姿を消してしまつており（梅氏が形成権＝債権説を主張したゆえんである）、形成権的構成の必然性は通説の考えている程は存在しないのであつて、むしろ、川島・槇教授の御主張に根拠を与えるものである（なお、中川編・注釈相続下二六九頁以下（磯村））。しかし、まつたく債権的地位まで、弱められてしまつているとみることにも疑問を感ずるのであつて、たとえば、遺留分権利者と取戻財産を責任財産とする遺産債権者の保護のため、減殺請求の相手方が破産した場合には遺留分権利者には取戻権を、一般債権者が取戻財産に執行してきた場合には第三者異議の訴えを認めるべきであり（くわしくは高木「遺留分権利者の法的地位」四六三頁以下）、この範囲でなお、物権的地位の残さいを承認すべきである。要するに、わが民法においても、形成権説を裏づける遺留分権利者の物権的地位が一部みられ、ただ、それが大幅に制限されているとみるのが正しいと思う。そして、日本民法は、減殺請求権の行使によって生ずる各当事者間の関係をどのように調整するかについては、一元的に、その効果を、物権的にあるいは債権的に貫徹していないとみるべきであろう。とすれば、減殺請求権の構成も一応は形成権として考え、そして、ここから生ずる物権的効力を承認することが、目的物をめぐる利害関係者の利益調整、取引秩序からみて妥当ならざる場合は明文の規定（民一〇三六・一〇四〇・一〇四一）ある場合はもちろんのこと、解釈技術の駆使によって、それを制限するようにすればよい。しかも、次のごとき事情も、形成権説にかたんするものと思われる。理論構成の上から見て、請求権説は、二元論的構成を必要とする。すなわち、履行を終えている処分行為の場合には、財産返還請求権、未履行の場合は、履行請求に対する拒絶権と。形成権説では減殺請求権そのものの構成は一元的である。その行使の効果が、既履行処分行為の場合は、返還請求権となり、未履行処分については抗弁事由（たとえば所有権にもとづいて）となる。理論的整理としては、一元論の方が便利であるということが指摘し得よう。それから、請求権的構成は、減殺請求権の対象である処分行為が、贈与・遺贈のごとき典型的な場合は、その理論構成は容易であるが、減殺請求権の対象となるのは、これ以外にも、債務免除・保証・抵当権の設定・相続分の指定（民九〇二I但）のごとき、無償の出損行為はすべて含まれる。このような場合、請求権ないし拒絶権という理論構成ですべて説明可能であろうか。債務の免除については、債権者取消権の構成をめぐって請求権説の弱点と指摘されている（たとえば、於保・債総一六三頁）が、減殺請求権の場合でも同様である。又、抵当権の設定については、どのように説明するであろうか。抵当権実行の段階に入って拒絶権という形で、それを阻止するということになるのであろうか。むしろ、形成権と構成し、いつでも、抵当権不存在確認の請求と、抵当権登記抹消の請求をなしうるとすべきであろう。もし、請求権説に立って、これと同一結論を求めるとするならば、かなり、不自然な技巧的な説明をしなければなるまい。保証のごとき人的担保についても同様であろう（もっともこの場合は、拒絶権という形で目的を達しうるであろうが）。相続分の指定についても、遺産分割前においては、遺留分侵害の指定を失効せしめた上で、遺産分割をする構成が、はるかに簡単である。ゆえに、減殺請求権を形成権と構成した上で、場合に応じて、給付の訴え——実体法的には財産返還請求権——（たとえば既履行贈与・遺贈について）、あるいは、抗弁（たとえば未履行遺贈・贈与）、あるいは、確認の訴え（たとえば債務の免除とか、抵当権の設定の場合）の形で、実質的な保護（もっとも、遺産分割前では相続分の指定のごときは、観念的失効のみで足りる）を受けるとするのが、理論構成の上で容易である。金銭債権であるドイツ民法とは異なり、建前として現物返還主義（換言すれば、原状回復主義—遺留分侵害の処分行為なかりせばの状態にもどす）をとっていることによる上述のごとき理論構成の上での困難さが、請求権説へふみきることへの一つの障害となっていると思う。

（二）　減殺請求権者と相手方

(イ)　権利者　遺留分権利者がこれに属することはいうまでもない。又、相続開始後の具体的な減殺請求権は一つの財産権であり(近藤・相続下一一四九頁)、帰属上の意味においても、又、行使上の意味においても一身専属権でない。民法は明文の規定で「承継人」を減殺請求権者としている(民一〇三一)。遺留分権利者の包括承継人たる相続人・包括受遺者はもちろんのこと、相続分の譲渡によって減殺請求権は当然に移転し、又、包括的なあるいは個別的な減殺請求権の譲渡も可能である(近藤・相続下一一四九頁、中川編・注釈二三五頁(島津)、柚木・判相四二三頁)。

次に、遺留分権利者の債権者も、債権者代位権の行使により、代位行使しうる【62】(なお【48】も、遺留分権利者の債権者が代位行使している事件であるが、直接にはこのことは問題とされていない)。

【62】「被告ハ遺留分減殺請求権ハ相続人ノ一身ニ専属スル権利ナルカ故ニ債権者ニ於テ之ヲ代位スルコト能ハサル旨主張スルモ民法第一一三四条ノ規定ニ徴スレハ該権利ハ相続人ノ一身ニ専属スル権利ニアラサルコトヲ推知シ得ヘキニ依リ右被告ノ主張ハ採用シ難ク債権者ハ自己ノ債権ヲ保全スル必要上債務者ニ属スル右権利ヲ代位行使シ得ヘキモノトス」(水戸地下妻支判大一一・三・二八評論一一民法二五九)。

純粋の財産権であり、従って、行使上の一身専属権と解する余地はなく、学説も一般に肯定している(近藤・相続下一一五〇頁、中川編・注釈下二三五頁(島津)、柚木・判民四二三頁)。ただ、於保教授は、減殺請求権は「まだ相続によって確定していない権利であるから」という理由で、この行使は相続人の自由意思に委ねるべきとされる(【62】に対する批判として、債総一五三・一五四頁)。しかし、減殺請求権はすでに確定した権利である。教授は、相続開始前の遺留分権を念頭に置いておられるのではないであろうか。もしそうだとすれば、かかる権利は、遺留分権利者すら行使しえないことは前述した(二三頁)。

なお、遺留分権利者が限定承認をした場合、あるいは、財産分離の手続がとられた場合にも同様に解しうるであろうか。従来の学説は、これにふれるところがない。そもそも、取戻財産は相続財産を構成し、たとえ、遺留分権利者の債権者に代位行使を許したところで、かような場合には、彼の債権の引当てとはならない。債権者代位権制度の趣旨から考えて、拒否すべきであろう。

次に、被相続人の債権者が代位行使しうるかであるが、遺留分権利者が単純承認すれば（財産分離の手続がとられた場合は別）、両責任財産が混合し、その結果相続債権者も、遺留分権利者の固有債権者も同一の立場に立つゆえに、後者同様に代位行使しうることには疑問はない。ただ限定承認がなされた場合にどう解するかに意見の相違がみられる。民法起草者は否定説であった（第二〇二回法典調査会議事速記録四丁、梅・要義相続四三六頁）。学説も古くは否定説であった（柳川・相続下六二二頁、奥田・相続四一七頁）。しかし、今日では肯定説が支配的である（近藤・相続下一一五一頁、谷口・「遺留分」一九一頁、中川編・注釈二三五頁（島津））。その理由は、相続人が減殺請求権を行使した場合には、これによって取得した財産は、相続債権者の債権の引当てとなるに拘わらず、相続人が減殺請求権を行使しないときは、相続財産が債務超過であっても、これに甘んじなければならないことは公平に失するとされるのである。フランス民法では、明文の規定で、相続債権者の行使を禁じている（フ民九二一）。おそらく、古き見解が否定説をとったのは、その影響であろう。しかし、ここでは、相続財産性をも否定されている（序説参照）のであって、首尾一貫している。日本民法の解釈として、遺留分財産の相続財産性が否定されるのであれば、否定説が正しいであろう。しかし、今日では相続財産性の肯定は確定した見解といってよく、とすれば、肯定説が当然であろう。

(ロ)　相手方　減殺請求権の相手方は、遺留分保全のために減殺せらるべき処分行為によって直接利益を得たもの（たとえば受遺者・受贈者）、その包括承継人および悪意の特定承継人・権利設定者である（民一〇四〇I但、II）（もっとも、減殺請求後の特定承継人は、相手方とならないとするのが判例【61】であることは前述した）。

それから、包括遺贈がなされ、遺言執行者ある場合に、これを相手方とすることを妨げないとする判例【63】がある。

【63】「特定遺贈ノ場合ニ於テハ遺留分権利者カ遺贈ノ減殺請求ヲ為スニハ受遺者又ハ其ノ相続人ニ対シテ之ヲ為スヘキモノニシテ遺言執行者ニ対シテ之ヲ為スヲ得サルコト所論ノ如シト雖、本件遺贈ハ岩手竜海カ其ノ遺産全部ヲ包括的ニ其ノ三女ミネ子ニ遺贈シタル包括遺贈ナルコト原審ノ確定スル所ニシテ包括受遺者ハ民法第千九十二条ニ依リ遺産相続人ト同一ノ権利義務ヲ有スルモノナレハ遺言執行者ハ包括受遺者タル右ミネ子ノ代理人ト看做サルヘキモノト謂ハサルヘカラス然ラハ本訴ニ於テ家督相続人タル被上告人岩手重カ遺留分権利者トシテ遺言執行者タル上告人ニ対シ為シタル遺贈減殺請求ハ正当ニシテ之ヲ認容シタル原判決ニ所論ノ如キ違法アルモノト謂フヲ得ス」（大判昭一三・二・二六民集一七・二七五、川島・判民一八事件、中川・総評三巻二八六頁、近藤・論叢三九巻二号三四六頁、岩田・新報四八巻七号一一六三頁）。

被相続人Aは三女Cに全遺産を相続させる旨の遺言（包括遺贈）をして死亡した。ところがAの家督相続人Y_1は、相続による移転登記をし、更にY_2に売却し、所有権移転登記をした。遺言執行者Xは、Y_1・Y_2を相手方として、それぞれの所有権移転登記の抹消を請求した。Y_1は訴訟中、Xに対して減殺請求の意思表示をした。以上が事件の経過である。

遺言執行者を相手方として減殺請求しうるとする結論については、学説上異論をみない（本判決の諸評釈、柚木・判相四二頁）。しかし、その理論構成において、又特定遺贈の場合を除外する（傍論ではあるが）とする点に、学説からの鋭い批判がみられる。判旨は理論構成の面では、遺言執行者は相続人の代理人とみなすとする民法の規定(明民一一一七、民一〇一五)と、包括受遺者は相続人と同一地位を有する(明民一〇九二、民九〇九)ということを結びつけて、遺言執行者は包括受遺者の代理人であるとするわけである。かかる論理に対して、本質に触れない小手先の技巧であるとするきびしい批判がある(中川・評釈二九二頁、近藤・評釈三五二頁)。むしろ、遺言執行者の実質的地位から説明すべきであるとされている。川島教授(川島・評釈七二頁)は、「遺言執行者が相続人の代理人なりといふのは彼のなす法律行為により相続人に直接効力を生ぜしむる地位にある（即ち管理権を有する）ことを示すに外ならず、決して相続人自身の個人的利益に奉仕する者にあらず(民法第一一一五条参照)寧ろ相続人の意志に関係なく遺産の処分を受贈者、相続債権者等に対しても公正になすべき職務を有する財産管理人であり、実質的には破産管財人に比せらるべき者である。従つて遺贈の減殺の如き相続財産の管理に関係ある事項に付ては遺言執行者がその受領権限あるものと解するを妥当とするのではあるまいか」とされ、近藤教授(近藤・評釈三五三頁)は「遺言者の意思を実行すべき遺言者の代表者たる遺言執行者がある以上は……彼に対しても、減殺が有効になされ得るものと解すべきである」とされる(遺言執行者の法的地位については、田中「遺言執行者」家族法大系Ⅶ二一八頁以下参照)。

又、判旨のごとき論理からすれば、特定遺贈の場合には受遺者のみが相手方となるが、このように遺言執行者の地位を実質的に促え、この観点から、理論的に基礎づければ、かかる相違は生じてこないし、又、実際問題としても区別の実質的理由は存在しない(前記諸評釈、柚木・判相四二四頁参照)。

(三)　行　使

（イ）方　法

(a)　減殺請求権の行使は訴えの方法によることを要しない。請求権説の立場からは当然の事理である。形成権説の立場からも、裁判外の行使で効力を生じ、訴訟物は形成的効力の結果生ずる目的物返還請求権である（民法起草者もこのことを明言している。第二〇二回法典調査会議事速記録四丁）。形成権的構成に依拠しながら、この理をとく三つの下級審判決がある。判文はいずれもすでに紹介した【51】【52】【53】。

(b)　いかなる行為をもつて減殺請求権の行使とみるかについて、【64】【65】【66】がある。【64】の事案は、次のようなものである。

【64】　被相続人が係争不動産について財産の留保をなして隠居したが、相続人は、留保財産について所有権の取得ないし保存登記をした。そこで、被相続人は、登記の抹消を請求した。相続人は、遺留分を侵害する留保は無効であるという抗弁（これについては【41】【42】でのべた）と、登記手続をもつて、減殺請求権の行使てあるという抗弁をした（【65】は【64】の控訴審である）。

「自己ニ於テ本件不動産ノ取得若クハ保存ノ登記ヲ為シタルハ即チ減殺請求権ノ行使ニ外ナラスト主張スレトモ減殺請求権ノ行使ハ其請求ヲ受クヘキ留保者即チ原告ニ対シテ之ヲ為スコトヲ要シ単ニ登記手続ヲ完了セルカ如キハ固ヨリ之ヲ目シテ減殺請求権ヲ行使シタリト謂フヲ得ス」（千葉地判大一〇・一一・二三評論一〇民法五四八）。

【65】　「控訴人ハ本件ノ登記ヲ為シタルコトニ依リ減殺請求権ヲ行使シタリト主張スレトモ減殺請求権ハ財産ヲ留保シタル隠居者ニ対シテ之ヲ行使スルコトヲ要スルカ故ニ右ノ主張モ理由ナシ」（東京控判大一〇・八・八評論一〇民法八五五）。

贈与の否認が減殺請求権の行使にあたるかどうかが、減殺請求権の消滅時効をめぐつて問題となつている。くわしくはそこでのべることとする。

【66】「上告人が、第一審口頭弁論において、被上告人主張にかかる本件贈与の事実を全面的に否認したとしても、その贈与を否認することは、所論のように「若シ其ノ否認ガ認メラレズ贈与ガ認メラレル場合ニハ其ノ家督相続財産ニ付キ遺留分ニ基キ減殺請求権ノ行使ヲナス主張ヲ包含シテオル」ものと解する事はできない。右の否認は、本件贈与の事実の存在を争うに過ぎないのであつて、所論のような積極的な意表思示を包含するものとは、到底解することができないからである」（最判昭二五・四・二八民集四・四・一五二、我妻＝唄・判民一一事件、谷口・民商二七巻二号五四頁、小林・法学一七巻一号八五頁）。

(c)　次に、被相続人が共同相続人の一人に対して全財産を遺贈する旨の遺言をなし相続が開始した場合に、他の共同相続人が遺産分割の審判を申立てた事件において、遺産分割申立に遺留分減殺の意思表示を含むとする審判がある。

【67】「相続人ミヱの本件遺産分割申立は遺留分減殺の意思表示を含むものと解されるし」（福島家審昭三七・四・二〇家裁月報一四・一〇・一七〇）。

家庭裁判所に対する審判の申立が純然たる私法上の法律行為でないことはいうまでもない。しかし、審判申立という一つの手続上の行為が実体法的観点から、それが同時に減殺請求権の行使という私法上の行為としても評価しうる（訴訟における同一問題について、山木戸「民事訴訟理論の基礎理論」四一頁以下）。本審判は、一相続人に全財産の包括遺贈がなされ、他の共同相続人が遺産分割の申立をしたケイスであるが、かかる場合の遺産分割の申立に、減殺請求権の行使が含まれているとみることはむしろ当然である。けだし、減殺請求権の行使を前提としなければ遺産分割はありえないからである。ただ、形成権説にたてば、意思表示の相手方への到達ということが必要であるが、訴訟においては、訴状の記載、その提出および送達という一連の過程においてなされているとみられており（くわしくは、山木戸・民事訴訟理論の基礎的研究四五頁以下）、この理論を審判の場合に類推適用することにより問題は消滅するであろう。

(d)　減殺請求権の行使は単に割合を示しただけでは効力を生ぜず、民法の遺留分計算の規定に則り、遺留分算定の基礎となる財産の価額に対する割合で示さねばならないとする一判決がある【68】。

【68】　X（原告）・Y（被告）の父Aの死亡により、それぞれ二分の一の持分権の相続登記をしたが、二年後全財産をXに包括遺贈するとの遺言が発見された。そこで、Xは、Yの持分権の登記の抹消を請求した。Yは抗弁の一つとして自己の遺留分四分の一の限度で包括遺贈を減殺する旨を述べた。

「ところで、およそ遺留分減殺請求権を行使する場合減殺請求権者は、その遺留分を保全するのに必要な限度を指定し、その限度で減殺の意思表示をして始めて被相続人のなした遺贈等は右限度で無効となり、遺贈等の対象物件の所有権は減殺請求権に帰属することになると解するのが相当である。してみると、前記昭和二九年一二月二一日の本件口頭弁論期日における被告の遺留分減殺の意思表示は、右に説示した遺留分保全の限度を明確にしてなされていないので、この効力を生じないものと謂う外はない。尤も被告は亡父平三郎の財産の四分の一という割合を主張し、これを以つて右遺留分保全の限度を指定したものと解していることが窺われるが、遺留分を保全するのに必要な限度は、民法第一、〇二九条第一、〇三〇条に則り遺留分算定の基礎となる財産の価額に対するある割合で示すべきものであつて、右主張のような財産の価額に基づかない単なる割合を示したのみでは遺留分保全の限度を指定したものとはなし得ない」（富山地判昭三四・一一・二〇下級民集一〇・一一・二四五七）。

おそらく単に割合で示すだけでは、減殺請求の対象が特定されないという趣旨であろう。これが積極的に、給付の訴えで遺留分の取戻しを請求する場合には、当然に取戻し目的物を特定する程度にまで訴訟物を特定しなければならず、単に割合のみを示して行使するということはできない。しかし、本件のように抗弁という形で行使する場合には、抗弁が請求に対して行われ、請求が特定しているだけに、少し問題を異にする。ところで、一般論的に考えれば、もし数個の処分行為がなされているならば、どの処分行為が、又、どの範囲で遺留分を侵害しているかを明示しなければ抗弁の対象が確定しない。しかし、一個の行為で数個の目的物が処分されている場合には、どの目的物について減殺請求権を行使するかは、遺留分権利者の選択にまかされており（【7976】〜）、したがって全目的物について一部減殺をすることも可能であり、必ずしも目的物を特定する必要はなく、特定していない場合は全目的物について減殺したものと解しうる。ところで本件の場合は、一個の包括遺贈で全財産が処分されている場合であり、Yは目的物を指示していないが、これは全財産を対象とする意思であろう。しかし、遺留分侵害の範囲を指示しなければならない。ここでは、Yは遺留分の抽象的割合のみを示しているにすぎない。一般には、遺留分の割合即遺留分の侵害の範囲ではない。従って、判旨のいうごとく、一般的には金額の割合で示さねばならない。しかし、本件の場合は、一個の包括遺贈で全財産が遺贈されており、従って、遺留分の割合と侵害の範囲は一致している。だから、このような行使は、遺贈の対象たる全財産について、それぞれ四分の一の持分権について減殺請求権を行使する意味に解しうるのであり、それで十分ではなかろうかと思うのである。

（四）保全の方法

減殺請求権に基づく土地処分禁止の仮処分について、民事訴訟法七五九条の「特別の事情」ありとして、仮処分を取消した判決【69】がある。以下、金銭的補償をもって目的を達しうるとする判断の部分を掲げる。

【69】 遺留分権利者が遺贈について減殺請求の訴えを提起し、次いで目的物の土地の処分禁止の仮処分の申請をなし、仮処分決定があつた。これに対して、遺留分権利者は金銭的補償によつて目的を達しうるということと、仮処分によつて申立人が異常な損害をこうむるということを理由に、仮処分取消の判決をもとめた。

「遺留分は元来遺産に一定の生前贈与の目的物を加えた財産に対する割合を以て示される価額であつてこれによつて、遺留分権利者に保留されるのは、具体的財産ではなく価額である。もつとも遺留分権利者がその権利を行使し遺贈又は贈与を減殺するときはその結果取得した遺贈又は贈与の目的物自体の返還請求をなし得ることは当然であつて、民法もこれを認める立場から規定しているけれども同時に又その第千四十一条第一項は受贈者又は受遺者が減殺を受くべき限度において贈与又は遺贈の目的の価額を遺留分権利者に弁償して返還の義務を免れることができると規定し遺留分が価額についての権利たる趣旨を貫いた。換言すれば遺留分減殺によつて生じた具体的財産の返還請求権は当該財産の返還が可能な場合においても受贈者又は受遺者の自由な意思に基きこれに代る金銭の給付に満足すべく本来の給付を期し得ないものであつてその意味では権利行使につき遺留分の本質に由来する当然の制約を受ける。従つて右本案の土地共有持分返還請求権もこれが保全のため処分禁止の仮処分を絶対に必要とするものではなく土地共有持分の価額を弁償するに足る金銭的補償を以てしてもよくその終局の目的を達し得るものと考えざるを得ない。

これに加え減殺を受くべき受遺者が遺贈の目的を他に譲渡したときはもとより民法第千四十条の規定を類推適用し原則として遺留分権利者に減殺さるべき目的の価額を弁償しなければならないものと解すべきであるからもし本件仮処分取消申立の対象たる前記(A)の土地合計二千五百七十六坪が仮処分解放後受遺者たる申立人から他に譲渡された場合においても遺留分権利者たる相手方は遺留分減殺の結果右土地につき取得した共有持分権の価額の弁償を申立人に請求し得るものといわなければならない。しかして弁論の全趣旨によれば被相続人たる須賀保吉の主要な遺産は前記(A)、(B)の土地及び相手方主張の前掲(C)の土地の合計四千四百九十四坪一合であつて(A)、(C)の土地は全部農地であるが(B)の土地には若干の宅地も含まれていることが一応窺われるとともに相手方の遺留分額がその算定の基礎たるべき財産の九分の一にすぎないことは相手方の自陳するところであるから相手方の遺留分減殺の結果(B)の土地について申立人に残存すべき共有持分権の価額が(A)の土地につきその処分により申立人が弁償すべき相手方の共有持分権の価額を遙かに上廻るものであることはよういに推認されるのみならず後述のように申立人は(A)の土地の売却により多額の収入を得又得べきものである以上特段の事情がない限り相手方は(A)の土地の共有持分権の弁償を受けるに事欠かず右土地の処分によつて蒙るべき損害はこれを償うに残りあるものと推定するのが相当であり従つて右土地については本件仮処分を取消しても相手方にさしたる痛痒を与えるものではないといわなければならない」（東京地判昭三四・二・四下級民集一〇・二・二四二）。

受遺者が、第三者に譲渡した場合には、譲渡当時遺留分権利者に損害を加えることを知った譲受人に対してのみ追求しえ（民一〇四〇）、善意の者にはなし得ない。しかも、悪意の譲受人に対しても、減殺請求後の譲受人であれば、追求しえないとするのが最高裁判所の解釈である【61】。本判決は、手続面から、追求力を奪ってしまうものである。しかし、第三者への追求は、譲渡人無資力の場合に限ると解すべきであり（一五三頁参照）、本件のように、申立人に十分の資力があれば、処分を禁止する必要はない。本判決は、遺留分の実体は価値であることの認識にたつものである（一八頁以下参照）。

（五）　減殺の順序　減殺の対象たる遺贈と贈与が併存し、または数個の遺贈もしくは贈与が併存する場合には、減殺の順序が定められねばならないが、民法は贈与よりも遺贈を先順位とし（民一〇三三）、数個の遺贈間では、後の贈与から前の贈与へと減殺するものとした（民一〇三五）。その趣旨は、贈与・遺贈を時間的系列において、自由分を喰いつぶし、遺留分を侵食していた順序にならべ、もっとも最近の遺留分侵害行為から減殺するというところにある。ゆえに、遺贈は、常に撤回可能なのであるから、最も最近の遺留分侵害行為であり、贈与よりも先順位となり、贈与間にあっては、新しいものから減殺されるということになる。

ところで、数個の贈与が時を同じうしてなされた場合の取扱いであるが、民法の上述の趣旨からみれば当然に、遺贈の場合と同じく目的物の価額の割合に応じて減殺すべきである。判例【70】も同旨である。

【70】 X（原告・被控訴人・被上告人）の先々代Aは三人の子供を有していたが推定家督相続人たる長男Bは相続開始前に死亡し、Bの長女Cが代襲して家督相続した。しかし、AはCに財産が相続されることをきらい、次男Y_1（被告・控訴人・上告人）、三男Y_2に全財産（不動産）を贈与し、それぞれ同日に所有権移転登記をした。ただ、登記所の受付番号はもちろん先後していた。Cの家督相続後、XはCと入夫婚姻をなし、家督相続をなした。XはY_1・Y_2に対して、減殺請求権を行使した。原審ではX勝訴。Y_1・Y_2は民法一一三八条によれば贈与の減殺は後の贈与よりはじめ順次に前の贈与に及ぶのだから、二個の贈与あるときは其の先後を審査しなければならないが、原審がY_1・Y_2への贈与の登記受付番号に先後があるから贈与に前後あるものと推定すべく若し登記受付番号の先後にも拘らず同時なりというには其の立証と理由とを示すべきであるのに、それを無視してY_1・Y_2に対し平等に取り扱ったのは採証ないし理由不備もしくは審理不尽の不法があるとして上告した。上告棄却。

「然レトモ甲ニ対スル贈与ト乙ニ対スル贈与トカ同時ニ行ハレ其ノ各贈与ニ因ル所有権移転登記カ同一登記所ニ同時ニ申請セラレタル場合ニ於テモ其ノ受付番号ハ則チ同一ナルヲ得ス必スヤ之ヲ異ニセサルヘカラサルモノナレハ其ノ番号順ニ先後ノ別アルノ故ヲ以テ右贈与ニモ亦先後ノ別アルモノト推定セサルヘカラサルモノニ非ス而シテ二箇ノ贈与カ日ヲ同シウシテ為サレタル場合ニ於テハ反証ナキ限リ何レヲ先何レヲ後ト為スニ由ナク畢竟同時ニ為サレタルモノト推定スルノ外ナキモノト云フヘク原審カ本件、各贈与ハ同日ニ為サレ即日所論ノ如ク相次ク受付番号ニテ登記セラレタルコトヲ認定シテ其ノ贈与ニ先後アルコトヲ説示セサルハ即チ其ノ贈与カ同時ニ為サレタルコトヲ認定シタルモノニ外ナラサルコト原判文ヲ通読シテ之ヲ諒スルニ十分ナルカ故ニ原判決ニハ所論ノ如キ違法アルモノニ非ス」(大判昭九・九・一五民集一三・一七九二、来栖・判民一二七事件、中川・総評二巻二四五頁)。

学説はこぞつて賛成している(前記諸評釈、中川編・注釈下二五七頁(加藤永)、柚木・判相四二七頁以下)。上述したごとく、被相続人は自由分を、時間的に古い贈与から順次消費していき、遂には遺留分を喰い込んでいくんだという考え方に立つて、民法は減殺の順序を定めている。ゆえに、数個の贈与が同時になされ、それが遺留分を侵害した場合には、同時に同じ立場で侵害したのであり、その間には優劣はない。遺贈の場合の規定(民一〇三五)を類推適用するのが当然である。

今一つの判旨は、同日になされた贈与は反証なき限り、同時になされたものと推定すべきとする。上告理由のごとく、登記の受付番号の順序でなされたと推定すべきとの主張が正当でない理由は、判決理由中につきている。

次に、今日では、意義を失つてしまつているが、隠居による留保財産の減殺と、贈与のそれとの順序について、後者によるとする下級審判決がある。

【71】「第一一三六条一一三八条ニハ遺留分保存ノ為ノ減殺請求ハ遺贈ヲ先ニシ贈与ヲ後ニシ又贈与ニ付テハ後ノ贈与ヨリ始メ順次前ノ贈与ニ及フヘキ者ノ規定アルモ隠居ニ因ル留保財産ノ減殺ニ付テカカル規定ナキヨリ観レハ減殺請求権ノ行使ハ遺贈及贈与ヲ先ニシ然ル後遺留分ニ害アル留保ニ付之ヲ為シ得ヘキモノナリト解スルヲ相当トス」(長野地小松支判大九・六・二評論一〇民法六三一)。

この理論によると、既に有効になされた贈与の効力が贈与者の自己の利益のための財産留保により、結果的には奪われてしまうこととなるとして批判された(近藤・相続下一一六三頁)。

（五）管　轄

(イ)　旧民事訴訟法時代には、減殺請求に基づく財産取戻請求権の管轄について明確な規定がなく、争いの余地があつた。減殺請求権の性質から論じられたこと、既に紹介した【56】【57】。しかし、現行民事訴訟法では、一九条で遺留分に関する訴えは、相続開始の時における被相続人の普通裁判所所在地の裁判所と明確に定められており、争いの余地はない。

(ロ)　遺留分減殺請求事件は、審判事項ではない。これ単独の審判の申立が違法であることは問題ない。しかし共同相続人の一人に対して処分行為があり、遺産分割の前提として減殺請求権が問題となつている場合に、審判において、この点についての判断をなした上で遺産分割をなしうるであろうか。既に紹介した昭和三三年広島家裁審判【29】、昭和三七年福島家裁審判【67】では、肯定的立場から遺産分割の審判をなしている。

しかし、次の審判【72】は、この問題を真正面から取り上げ、否定的に判断している。

【72】「本件中立の趣旨は、被相続人永井万造が相手方になしたる松江法務局所属公証人野尻繁一作成第一一四一九号遺言公正証書による別紙物件目録記載不動産並びに動産について、三分の一の遺留分の減殺と前記不動産並びに動産について三分の一の割合による遺産分割との各請求であるが、遺留分減殺の請求についての管轄権は家庭裁判所に属せず、地方裁判所に属することは家事審判法第九条並びに民事訴訟法第一九条によつて明かである。しかし遺産分割の請求についての管轄権は、一応家庭裁判所に在ることは、家事審判法第九条第一項乙類一〇号、民法第九〇七条によつて明かではあるが、この家庭裁判所の管轄に属せしめられた遺産分割は、遺産であることが明かな、換言すれば、遺産の範囲につき争がなく、ただその分割の方法のみについて協議できない場合この協議に代るものとして分割方法を決定する範囲に止まるべきであつて、その範囲について争のあるものは、通常の民事訴訟手続によつてその範囲を確立した後でなければ分割の審判をなす権限を有しないものと解するのを民法九〇七条第一、二項の解釈上相当するし、（広島高等裁判所昭和三十六年五月二十六日決定）このように解さないと遺産分割の審判は形成的裁判で、しかも審判には既判力がないから、別途に民事訴訟手続においてその財産が遺産に属しない旨確定された場合には前になされた遺産分割の審判は不適正となり、変更されなければならなくなるし、反対に審判には既判力がないから審判に不服ある者はその確定後更に遺産の範囲について民事訴訟を提起して争いうるのであるから審判は訴訟による最終結果の判明するまでの一時的仮説的な判断にすぎないこととなりかくては簡易迅速な処理を主眼とする審判手続の趣旨に反し、審判における判断と民事訴訟によつてなされた判断とが相反する結果となるからである。

翻つて本件をみると、その申立の趣旨の前段において遺留分の減殺を請求している部分は前述の理由によつて当裁判所に管轄権はなく、又この請求を前提とする後段の遺産の分割の申立はその遺産の範囲について争があるものといわなければならないから従つてこの申立についても当裁判所に管轄権はなく、いずれも通常の民事訴訟手続によつて確定されるべきものといわなければならない」（松江家審昭三七・七・一〇家裁月報一四・一一・一六二）。

事件は、共同相続人の一人に対して、他の共同相続人の遺留分を侵害する遺贈（事実関係は明確でないがおそらく包括遺贈と思われる）がなされ、そこで遺留分権利者が遺留分の減殺と遺産分割の申立をしたのである。これを却下した審判の内容を要約的にいえば、遺留分減殺の申立の部分については、遺留分減殺請求の管轄は、家庭裁判所になく、地方裁判所に属するとする。そして、遺産分割の申立の部分については、遺留分の減殺が前提となつている遺産分割は遺産の範囲に争いのある場合にあたり、そして、遺産の範囲について争いがある場合には、通常の民事訴訟により範囲を確定するのでなければ、分割の審判をなすことができないとするものである。遺産の範囲について争いがある場合に審判をなしうるかどうかは、殊に最近大いに論じられている問題（後述）であるが、本審判では、その前に、遺留分減殺請求は審判事項として掲げられていない（審判事項は制限的）に拘わらず、審判の対象となるかという問題がある。もちろん、これだけ独立して審判の対象となることはないが、遺産分割の前提問題として、遺留分減殺が登場する場合が問題である。新相続法では共同相続が建前であり、共同相続人の一人に、他の相続人の遺留分を侵害する処分行為がなされるといつたケイスが多く考えられ（旧法時代では、家督相続であつたからこのような形をとる問題は例外的な遺産相続をのぞけば殆んどなかつた。もつとも、遺留分問題の多くは家督相続人の兄弟に対して処分行為がなされていたことは注目される）、かなり重要な問題だと思われる。この点、広島審判は、遺留分を侵害する持戻免除の意思表示を無効とし、その上で遺産分割を行い、福島審判は共同相続人の遺産分割申立は遺留分減殺の意思表示を含むものとし、遺留分を考慮した上で遺産分割を行いともに、遺留分問題を、遺産分割中の一要素として処理している。ただ、本審判では、申立趣旨中に遺留分減殺の請求を、遺産分割のそれと併存的に記載し、申立事項となつている点に特色がある。しかし、このことにひつかけ、遺留分減殺の管轄権が民訴一九条の地方裁判所に存在するとの論理は、あまりにも形式論的である。減殺請求権は、訴訟の形式で行使することを要しないのであり、単なる意思表示で足りるのであるから、常に地方裁判所の訴訟手続によるべしとするのは正当でない。前記福島審判のごとく、これをもつて遺留分減殺の意思表示とみるのが、はるかに実体に即した解釈であろう。むしろ、遺産分割前の減殺請求権は、共同相続人間では遺産分割請求権の一内容といつてよいのではないかと思うのである。とすれば、却下理由の実質的部分は、後段の遺産の範囲に争いがある場合には遺産分割の審判をなしえず、遺留分減殺が前提となる遺産分割は遺産の範囲に争いある場合にあたるとする点である。

遺産の範囲に争いある場合（より広く、審判の前提事項に争いある場合）に、審判をなしうるや否やは、近時大いに論じられているが（たとえば、中島「遺産の確定」判タ一四一号五一四頁以下、森松「遺産分割の家事審判における遺産の範囲確定に対する違憲論」ジュリスト二七七号四四頁）、今日なお、学説上争われ、最高裁判決はまだないが、下級審判決はわかれている（判例・学説の整理として、家裁月報一三巻一二号四五頁以下）。一つの独立した問題であり、くわしくは上記研究にゆだねる。ただここでは、本審判が「又この請求（遺留分減殺の請求―筆者注）を前提とする後段の遺産の分割の申立はその遺産の範囲について争があるものといわなければならないから」といつており、この理由中から、減殺請求が前提となつているだけで、ただちに遺産の範囲に争いがある場合にあたるといつているがごとく感じられるので一言したい。もし、本審判の却下理由がかかるものであれば、減殺請求が遺産分割の前提となつている場合には、必ず遺産分割の審判の申立前に、調停なり民事訴訟によつて法律関係を確定してからでないといけないこととなる。又、法律的判断を必要とし、従つて争いの対象となりうるということと、現実に争いとなっているということは異なるのであり、現実に争いとなっている場合には、多くの学説が否定的見解をとっていることからみても、正当かどうかは別として、一応理由のあるところであるが、しからざる場合にまで、審判での判断の対象となし得ないとすることは、遺産分割の審判のごとき、その性質上多くの法律的判断が前提として必要である場合にあっては、審判は事実上なし得ないこととなってしまうであろう。もっとも、本審判は、減殺請求が前提となっている場合には、争いが不可避的に生じてくるものと考えたのかもしれない（又、調停の段階で争いがあったのかもしれない）。要するに、減殺請求が前提となっている遺産分割の審判は常になしえないとする結論は、たとえ、遺産の範囲に争いがある場合には審判をなし得ないとする説にたってもでてこないと思う。

三　減殺請求の効力

通説・判例の形成権＝物権的構成のもとでは、減殺請求によって遺留分侵害の処分行為は効力を失い、目的物上の権利（たとえば所有権）は遺留分権利者に帰属する。その結果、未だ履行されていないもの（遺贈の場合が多い）については履行義務が消滅し、既履行（贈与が多くこれに属する）のものについては返還請求権が発生する。ただし、相手方は価額を弁償することによって返還義務を免がれることができる（民一〇四一）。又目的物が第三者に譲渡された場合には（民一〇四〇Ⅰ、第三者が権利を設定した場合に準用民一〇四〇Ⅱ）、原則として目的物に追求することはできず、譲渡人に対して価額の返還を請求できるのみである。ただ例外として、譲受人が遺留分権利者に損害を加えることを知った場合のみ追求しる。以上が、減殺請求の効力のあらましである。以下、この領域での判例を分析することとする。

（一）包括遺贈の目的物と減殺請求前の遺留分権利者の処分

包括遺贈の目的物について遺留分権利者が減殺請求をする前に第三者に譲渡したケイスにおいて、減殺請求によって遺留分権利者が権利を取得し、それを第三者が取得するとしている判例がある【73】。事案はすでに紹介したので（【63】参照）、くわしくはそちらに委ね、この問題に関連する範囲で簡単に述べる。

【73】　被相続人Aが三女Bに全財産を包括遺贈したのであるが、家督相続人Y_1（被告・被控訴人・被上告人）が相続登記をし、更に第三者Y_2に売却（登記）した。その後に選任された遺言執行者X（原告・控訴人・上告人）がY_1・Y_2に対して登記抹消の請求をした。Y_1は抗弁として減殺請求をなし（控訴審で）、遺留分たる二分の一はY_1従って又、Y_2に帰属することとなるゆえ、二分の一の共有の登記にしか応じられないとした。原審は二分の一の共有関係を確認し、かつY_2に対しBが遺贈により二分の一の所有権を取得したことの登記手続をすべき旨の判決をした。Xは上告理由として次のごとくのべた（三点あるが、ここでは本問に関するものに限る）。民法は減殺請求に遡及効を認めておらず、Y_2は減殺請求後の売買契約によって所有権を取得することは格別、減殺請求前において、所有権を取得することはない。又、仮に、遡及効を認め、Y_1が家督相続の時に遡って権利者となるとしても、そもそもY_1・Y_2の売買契約は無権利者のなした処分行為として当初より何らの効力を生じない無効の法律行為であり、従って、その無効なることを知りて、之を追認し新たなる行為をなしたものとみなされない限り無効であることに変りはないと。上告棄却。

「然レトモ本件遺贈減殺請求ハ昭和十一年六月二十五日附書面に依リ為サレタルコト原審ノ確定スル所ナレハ其ノ前ニ於テ家督相続人タル被上告人（被控訴人）重（Y_1）ハ本件遺贈物件ニ付何等ノ権利ヲ有セサル筋合ナルヲ以テ右減殺請求前タル昭和七年五月四日同被上告人（Y_1）ヨリ右物件ヲ買受ケタル当時ニ於テハ

被上告人（被控訴人）甚次（Y_2）ハ該物件ノ所有権ヲ取得スヘキ謂レナキモ之カ為該売買ヲ以テ直ニ無効ノモノト解スヘキニアラス何トナレハ後日被上告人重（Y_1）カ減殺請求権ノ行使ニ因リ該物件ニ付権利ヲ取得シタルトキハ該権利ヲ買主タル被上告人甚次（Y_2）ニ移転スルコトニ依リ其ノ義務ヲ履行シ得ヘク其ノ範囲ニ於テ右売買ハ有効ニ履行セラルヘキモノナルコト民法カ他人ノ権利ノ売買ニ於テ斯カル関係ヲ許容シ居レル趣旨ニ徴シ明カナレハナリ然ラハ被上告人重（Y_1）の前示遺贈減殺請求ニ依リ取得シタル右遺贈物件ノ二分ノ一ノ権利ヲ被上告人甚次（Y_2）ニ移転シ其ノ登記ヲ為スヘキ義務アルモ右減殺請求前既ニ売買ニ因リ遺贈物件全部ノ所有権取得登記カ経由セラレアル本件ニ於テハ右二分ノ一ノ権利ヲ譲渡スル意思表示ハ当然右売買ニ包含セラレ居ルモノト解スヘキヲ以テ被上告人甚次（Y_2）ハ右減殺請求ニ因リ被上告人重（Y_1）カ取得シタル右二分ノ一ノ権利ヲ取得シタルモノト解スヘキモノトス」（大判昭一三・二・二六民集一七・二七五、川島・判民一八事件、中川・総評三巻二八六頁、近藤・論叢三九巻二号三四六頁、岩田・新報四八巻七号一一六三頁）。

本判旨には、かなりの疑問がある。判旨は他人の権利の売買の法理を適用している。上告理由は減殺請求の遡及効を問題にし、減殺請求前の処分は無権利者の処分とするが、この点、判旨は、減殺請求により権利を取得し、これをY_2に譲渡し有効に履行しうるのであるからとして、他人の権利の売買と同じ関係がみられると、遺留分の範囲内で権利取得を認めている。減殺請求に遡及効があれば、法律上の擬制ではあるが、売買契約時にY_1に権利が帰属していたことになるゆえ問題ない。しかし、判旨のように遡及効を認めないとすると、このような他人の権利の売買の論理構成がとられよう（後述の登記の問題を別とすれば）。ただ、疑問に感じられるのは、判旨は、はっきりとY_1・Y_2の関係を他人の権利（物）の売買とみていないことである。他人の物の売買の規定が適用されるためには他人の物なることについての認識を要するとの意見もあるが（岩田・評釈）、善意の売主の解除権の規定（民五六二）あることからみても、その必要性はない。川島教授は、非権利者の自己の名においてなした処分行為と追完の問題として考えておられる（もっとも後述するごとく教授はもっぱら登記の対抗力の問題として考えられ、そのことを離れて観察すればとされておられる）。他人の物の売買の法理は、その特殊理論であり、本件の場合は、他人の物の売買の法理がそのまま適用される場合ではなかろうか（後述の登記の対抗力の問題をぬきにして考えれば）。

いずれにせよ判旨は、登記の理論をまったくぬきにして論じているが、この点を鋭くついておられるのが川島教授である。教授は（評釈七一頁）包括受遺者Bと不動産譲受人Y_2との間には同一不動産の二重譲渡の関係があり、Bは登記なくしてはY_2には対抗できず、Xが不動産所有権の存在を主張し、登記の抹消を請求するのははじめから問題の余地がないとされる。たしかに本件は典型的二重譲渡のケイスに相続人が介在している場合であり（我妻・物権九八頁、柚木・判物総一九五頁）、まったく教授の御指摘のとおりである。従つてXはY_1に対して、損害賠償を請求し得るのみであり、Y_1の減殺請求の効果は、この賠償額を減少せしめるのみである（川島・評釈）。

次に判旨の後段の論理であるが（登記の対抗力の問題をぬきにして考える）、Y_1は減殺請求により取得した権利を移転する義務が生ずるとし、そして、すでに所有権移転登記が経由されている本件では、当初の売買契約中に権利譲渡の意思表示が包括されているものと解されるとする。中川教授が正当にも指摘されるごとく（中川・評釈二九三頁）、物権行為の独自性を前提にすれば、Y_1は権利取得後、権利移転の意思表示（物権行為）が必要である。しかし、物権行為の独自性を否定する判例理論を前提とすれば、当初の売買契約中に未分離に包含されていると考えるべきである。本判決は、同一結論を認めるものであるが、登記の移転がすでに履行済であることを理由としている点が注目される。

（二）　第三者に対する効力

減殺請求権を形成権的に構成し、その効力を物権的に解し、相続時まで遡及して目的物上の権利を遺留分権利者が取得するとすれば、その目的物が第三者に譲渡されても追求することができ、又、目的物上の設定された第三者の権利は消滅することとなる。しかし、日本民法は、物権的効力を大幅に制限し、原則として受贈者・受遺者が価額弁償するものとし、例外的に譲受人が譲渡の当時遺留分権利者に損害を加えることを知ったときのみ目的物に追求しうるとしている（民一〇四〇）。少し問題となるのは、第三者に追求しうるための前提として、受贈者・受遺者の無資力を要件とするかである。本条文の母法たるフランス民法九三〇条の解釈としては、このことが要求されている（Planiol et Pipert, op. cit., n° 119）。わが民法の解釈としては両論が主張されている（富井氏は受贈者の無資力を要件とし（第二〇二回法典調査会議事速記録二六丁）、梅氏は要件としない（要義・相続四四八頁）。積極説として谷口「遺留分」二〇一頁以下、消極説として、中川編・注釈下二七一頁（磯村））。この点を明言する判例はないが傍論ではあるが、【74】はこの要件を要求していない。フランス民法の場合とことなり、譲受人悪意の場合に限定していることから考えれば、消極説にも十分合理的根拠があると思われるが、価額返還主義の比重をより重くし、積極的に解すべきであろう。それでは、判例上具体的に問題となった点を以下述べていくこととする。

(イ)　減殺請求後に目的物が譲渡された場合にも一〇四〇条一項但書が適用されるかについては、判例が否定的に考えていることについては前述した【61】。

(ロ)　贈与の目的物上に第三者の権利が設定されている場合も、目的物が譲渡された場合と同様である(民一〇四〇Ⅱ)。ゆえに、遺留分権利者は受贈者に対して、目的物の価額の弁償を請求しうる。しからば、現物の返還請求はどうであろうか(権利設定による価値の下落の部分の価額弁済の請求とともに)。【74】は第三者が善意なる場合において、第三者の権利が軽微な負担であり、遺留分権利者が甘受する場合には、目的物の返還請求を認めるとしている。

【74】　事実関係の詳細は不明であるが、受贈者が目的物上に抵当権を設定しており、遺留分権利者が、現物返還と六〇〇円の価額弁償(この六〇〇円の価額弁償が何を意味するのか、判例集に登載されている判決理由からは明らかでないが、この差戻審である大阪控判明三八・一〇・一二(新聞三二七・一〇)と照し合わせてみると、負担のない不動産の価額は八五〇円、被担保債権六〇〇円のごとくであり、従つて六〇〇円の価額弁償は、抵当権設定による不動産の価額下落の部分の価額弁償のようである)を請求した事件である。原審は、民法一一四三条(現民一〇四〇)を根拠として、価額返還の請求のみをなしうるとして、両方の請求を棄却した。

「上告論旨第一点(現物返還請求の部分)　民法第千百四十三条ハ遺留分権利者ノ請求権ヲ制限シテ価額ノ外現物ノ請求ヲ許サストノ趣意ニアラス該条ノ精神タル遺留分権利者ハ現物ニ追躡シ善意ノ第三者ヲ害スルヲ得ストスルノ結果受贈者ハ少ナクトモ価額ヲ弁償スルコトヲ要スルモノニテ換言セハ善意ノ第三者ヲ保護スルカ為メニ延ヒテ受贈者ニ賠償ノ責ヲモ免レシムルノ僥倖ヲ与ヘサルニ過キス要スルニ遺留分法ノ趣意タル現物返還ヲ以テ本則トスルニ在レハ遺留分権利者カ目的ヲ取戻スヘキ権利ハ其現物ヲ善意ニテ取得シ若クハ物件ノ上ニ権利ヲ設定セシメタル者ノ既得権ヲ害セサル範囲内ニ於テハ仮令第三者ニ関係ノ生シ居ル物件ト雖モ尚ホ返還ノ請求ヲ為シ得ヘキハ勿論ナルヘシ然ハ則チ本訴物件ハ被上告人ヨリ塚本伊作ヘ対シ抵当権ノ設定アルモ其債務者タル被上告人ニ於テ借金元利ヲ弁済シテ其抵当ヲ取消スニハ抵当権者ヲ害セスシテ被上告人ヨリ上告人ヘ現物返還ヲ為シ得ヘキナリ然レトモ若シ被上告人カ任意ニ元利金ヲ弁済セサルトキハ抵当権ヲ取消シ以テ上告人ヘ現物ノ返還ヲ得ルハ不可能ノ事ニ帰スルカ故上告人ノ請求ハ若シ被上告人ニ於テ抵当ヲ取消サヽルトキハ抵当権設定アル儘上告人ヘ返還スヘシト云フニ在リ此後段ノ請求タル抵当権者ニ毫

モ害ナキハ勿論又元来抵当権者ニ於テハ其抵当権存在ノ儘被上告人ヨリ上告人ヘノ返還ヲ拒ムノ権利ナケレハ則チ後段ノ請求ハ単ニ被上告人ヘ対シ強制的ニ為シ得ヘキノ事柄ニシテ而テ民法第千百四十三条ノ趣意前陳ノ如ク善意ノ第三者ヲ保護スルノ結果受遺者又ハ受贈者ハ少クモ価額ヲ弁償スルコトヲ要スト云フニ在リテ遺留分権利者ノ請求権ヲ制限シテ価額ノ外現物ノ請求ヲ許サストノ規定ニアラサル以上ハ本訴ニ於テ上告人ハ現物又ハ価額ノ二者何レニテモ請求スルノ権利アリ」

「上告論旨第二点（価額返還請求の部分）仮リニ前第一点ノ上告理由不当ニシテ原院カ民法第千百四十三条ヲ解釈セシ所ニハ誤謬ナシトセンカ右六百円ノ請求ノミハ之レヲ是認シ其他現物返還ノ請求ヲ排斥スルヲ相当トス何トナレハ原判決ハ本訴ノ如ク目的物ニ抵当権ノ設定アル場合ニハ単ニ価額ノ弁償ヲ請求スルノ権アルニ止マリ現物返還ヲ請求スルノ権利ナシトシ価額弁償ノ請求権アルヲ明認シタレハナリ然ルニ本訴請求中ニハ原判旨ニ適スル六百円ノ請求アルニ此点ヲモ漫然排斥セラレタルハ主文ト理由ト相背馳スルモノタリ若シ背馳セサルノ理由アランニハ現物請求ノ不法タル理由ヲ示スノ外尚ホ価額即チ六百円ノ請求ヲ排斥スルノ理由ヲ明示セサルヘカラス然ルニ之レヲ明示セサルハ理由ヲ付セサル不法ノ判決ナリ」

上告審は、原判決を破毀差戻した。

「遺留分権利者カ被相続人ノ為シタル贈与ニ因リテ其権利ヲ害セラレタルヨリ之カ減殺ヲ請求スルニ当リ受贈者カ贈与ノ目的ヲ他人ニ譲渡シタルトキハ受贈者ハ遺留分権利者ニ其価額ヲ弁償スルコトヲ要シ遺留分権利者ヨリ其譲受人ニ対シテ贈与ノ目的ノ返還ヲ請求スルコトヲ得スト為シタル民法第千百四十三条第一項ノ規定ハ贈与ノ目的ノ善意ノ転得者ヲ保護シ其者ニ意外ノ損失ヲ被フラシメサルコトヲ図リタルニ外ナラサルモノニシテ同条第二項ニ於テ受贈者カ贈与ノ目的ノ上ニ権利ヲ設定シタル場合ニ同上ノ規定ヲ準用スルモ亦同一ノ趣旨ニ出テタルニ外ナラサルモノトス依テ此場合ニ於テ受贈者カ贈与ノ目的ノ上ニ設定シタル権利カ其目的ノ為メ軽微ナル負担ニシテ遺留分権利者カ之ヲ甘受セント欲スルニ於テハ遺留分権利者ニ其負担ノ附着シタル儘返還ヲ許ストモ贈与ノ目的ノ上ニ権利ヲ有スル者ノ権利ヲ毫モ害スルコトナキヲ以テ此ノ如キ

場合ニ於テハ遺留分権利者ニ贈与ノ目的ノ返還ヲ許サヽル可カラサルモノトス而シテ本件ニ於テ上告人カ遺留分権利ヲ害セラレタリトシテ贈与ノ減殺ヲ請求スル所ハ被上告人(受贈者)ハ明治三十六年五月二十九日登記ヲ為シタル塚本伊作ヘノ抵当権設定ヲ取消シ本件ノ係争物件ヲ上告人ニ返還シ且ツ吉川半三郎(被相続人)ヨリ被上告人ニ対スル売買名義ノ登記及ヒ被上告人ヨリ塚本伊作ニ対スル抵当権設定ノ登記ヲ抹消シ若シ被上告人ニ於テ判決確定後二十日間ニ塚本伊作ニ対スル抵当権設定ノ取消ヲ為サヽルトキハ抵当権設定ノ儘上告人ニ返還シ吉川半三郎ヨリノ売買登記ヲ抹消シ且ツ六百円ヲ弁償ス可シトアリテ受贈者タル被上告人ヨリ抵当権ヲ取得シタル塚本伊作ニシテ善意即チ其抵当権ノ設定カ遺留分権利者タル上告人ノ権利ヲ害スルコトヲ知ラスシテ抵当権ヲ取得シタルモノナルニ於テハ其抵当権ノ取消及ヒ其登記ノ抹消ノ請求ハ抵当権者タル塚本伊作ノ権利ヲ害シ民法第千百四十三条第二項ノ規定ニ違反シ許サレサルモノトス亦従ヒテ売買名義ノ登記ノ取消ノ請求モ不当ナリトス又上告人ノ請求カ抵当権附着ノ儘本件係争物件ノ返還ヲ受ケ併セテ金六百円ノ弁償ヲ得ントスルニ在ラハ是亦不当ナリ何トナレハ以上両者ヲ同時ニ併セテ請求シ上告人カ今日金六百円ヲ抵当権設定ニ対スル価額トシテ之カ弁償ヲ受ケタル後被上告人カ抵当権者ニ対シテ其債務ノ弁済ヲ為シタルトキハ抵当権ハ消滅シ返還ヲ受ケタル物件ニハ何等ノ負担ナキニ至リ右六百円ハ全ク上告人ノ為メ不当ノ利得ト為ル可ケレハナリ然レトモ上告人カ今日ニ於テハ単ニ抵当権附着ノ儘係争物件ノ返還ヲ受クルカ若クハ抵当権附着ノ物件ノ返還ヲ受ケスシテ単ニ金六百円ヲ請求スルニ在レハ其請求ハ許サル可キモノタリ是ヲ以テ本件上告人ノ請求中右両者ヲ併セタル請求立タサル場合ニ於テハ抵当権負担ノ儘係争物件ノ返還ノ請求ト六百円ノ弁償ノ請求トヲ分離シ其一方ノミノ請求ニテモ満足スルヤ将タ其請求ハ必スシモ両者相竢ツニ非サレハ満足セサルヤヲ釈明シタル上ニ非サレハ上告人ノ請求ノ当否ヲ判断スルヲ得ス然ルニ原院カ事茲ニ出テスシテ上告人ノ請求ヲ一概ニ不当ナリトシタルハ上告人ノ請求ノ趣旨ヲ確定セサル違法アルモノニシテ本件上告ハ理由アルモノトス」(大判明三七・一〇・三一民録一〇・一三七七)

本判決の趣旨を要約すれば、遺留分権利者の請求し得ることは、抵当権附着のまま係争物件の返還を受けるか、もしくは、単に受贈者に六〇〇円の請求をするかどちらかであり、前者を請求し得る場合は、設定された権利が軽微なる負担で、遺留分権利者が甘受する場合に限られるとするのである（なお、傍論として、抵当権者悪意なる場合には、抵当権抹消登記と、受贈者への所有権移転登記（本件では売買登記となつている）の抹消の請求をなしうるとしている）。まず、現物返還請求をなしうるかであるが、上告理由第一点において詳細に論じられているごとく認めるべきである。このことは権利設定者の善意・悪意を問わない。けだし、一〇四〇条二項が一項を準用している法理は、明らかに善意の権利設定を保護し、権利消滅の効果を生ぜしめないという配慮に基づくものである。とすれば、権利の附着したまま（善意の場合。悪意の場合は権利は消滅する）所有権を遺留分権利者に移転しても、何ら第三者を害しないのであるから、原審のごとく価額返還請求に限定してしまう必要性はないと思う。現物返還請求を一応の原則とし、相手方からの価額の弁償でこの義務を免がれるとする民法の一般原則を排除する必要はないと思う。学説も、権利の附着したままの現物返還を認める（中川編・注釈下二七一頁（磯村）、谷口「遺留分」二一〇頁）。この点、判旨は一応権利の附着したままの現物返還を認めながらも、第三者の権利が軽微な負担であり、遺留分権利者が甘受する場合にのみ限定している。かかる見解は、現物返還請求する場合には、これとともに、価額弁償の請求をなしえない、換言すれば、どちらか一方のみを選択しうるとする判旨の見解が、その背後にあるわけである。たしかに、判旨の意味する価額弁償が不動産の価格を意味するならば、現物返還請求とともに請求するということができないことは自明の理である。しかし、Xの主張する六〇〇円の価額弁償は抵当権の設定による価格の下落の弁償であつて、これと、抵当権付不動産の価格とあわせて、負担なき不動産の価格となるのであつて、ともに請求しうると解するに妨げないと思うのである。ただ、判決理由中にもし受贈者が抵当権者に弁済すれば、不当利得となると主張している点が少し問題となるが、価額弁償をした受贈者が抵当権者に自発的に弁済することは考えられず、それに抵当権者の側も、まず抵当物件から弁済をうけることになつており(民三九四)、判旨のいうような不当利得の関係を生ずることはありえない。第三者の権利が軽微な負担である場合に限るとしていることはまつたく根拠がない。

その後の東京控大正一〇年判決【75】は、まつたく学説と同一見解にたち、現物返還請求を認めた上で、抵当権設定による価格の下落、すなわち、被担保債権である元本プラス利息の弁償の請求を認めている。

【75】「次ニ右三筆ノ土地中上高井郡豊丘村大字坂田字堂場四三七番畑二反五歩ニ付控訴人ハ大正六年六月六日訴外小山たつノ為メニ債権額三百円弁済期大正七年一二月三〇日利息年一割毎年一二月三〇日支払ノ債務ノ担保トシテ抵当権ヲ設定シ其登記ヲ了シタルコトハ当事者間ニ争ナキトコロナルヲ以テ民法第一一四三条第二項第一項ニ則リ控訴人ハ其抵当権ノ価額ヲ被控訴人ニ賠償セサル可カラス而シテ其価額カ債権額三百円及之ニ対スル大正六年六月七日ヨリ支払済迄年一割ノ利子ヲ加算シタルモノヲ下ラサルコトハ特別ノ事情ナキ限リ之ヲ認メサルヲ得サルカ故ニ此部分ノ本訴請求モ亦相当ナリトス」(東京控判大一〇・六・二九評論一〇民法六二三)。

(三)　返還の目的物

減殺請求の結果発生する返還請求権の対象については、日本民法典は一応現物返還主義をとり、ただ、受贈者・受遺者は価額の弁償で現物返還義務を免かれるものとし(民一〇四一)、又、第三者に譲渡した場合には、価額の弁償を受贈者・受遺者に対して請求しうるのみであり、現物への追求は、受贈者・受遺者が無資力で、譲受人が遺留分権利者を害することを知りてなした場合に限るものとしている。日本民法典では、遺留分は法定相続分の一部というゲルマン型がとられているゆえに、一応現物返還主義がとられている。と同時に、現物返還主義をささえる社会的・経済的事情は「家産」の崩壊とともに薄れてしまい、遺留分は、遺産そのものより、遺産の価値であるというように変化している。このことが、現物返還主義を一応原則としながらも、事実上は価額返還主義へと傾斜せしめているわけである。この現象は、ゲルマン型遺留分制度を採用する法制において一般的にみられる傾向であることはすでに序説でのべたが、日本民法とて例外ではないのである。相続財産の「家産」的性格が強くみとめられた明治民法典ですら、同様であり、民法起草者はほとんど価額返還主義と考えていたことは前述した(序説参照)。しかし、わずかではあるが、明治民法下の判例と新法下のそれとの間に見解の相違、具体的にいえば、後者のほうがより価額返還主義に傾むいているといった傾向がみられるのである(とくに【80】と【81】をくらべると)(とくに、前述の【1】はまったく、価額返還請求権と考えてしまっている)。このことに注意しながら、判例を分析することとする。

(1) 一部減殺の場合の目的物

(イ) 一個の贈与・遺贈に数個の目的物が包含され、しかも、その一部が遺留分を侵害している場合に、返還請求の目的の決定にあたつて、権利者の方で選択しうるかが問題となつている。共同相続人の一人に対して、かかる処分がなされている場合には、結局、遺産分割の問題の一要素となり、当事者間で協議・調停が成立しない場合には、審判で解決される。問題は、訴訟上、返還請求権が行使される場合である。この点に言及する最も古い下級審判決は、給付義務者の側に選択権があるとする。【51】が、減殺請求権の性質と関連せしめてこの趣旨をのべている（判文はすでに紹介しているのでここでは省略する）。

しかし、給付義務者に選択権が存在するとの判決は、【51】が唯一のものであり、【76】以下（すべて下級審判決ばかり）選択権は権利者にあるとする態度をとりつづけている。

【76】家と土地が贈与され、原告（遺留分権利者）が土地と不足分について家屋の一部の返還を請求したのに対して、被告が目的物の選択権について抗弁したのに対する判断。

「減殺スベキ目的カ数個存在スル場合先ヅ其何レヲ選択スヘキカハ遺留分権利者タル原告ノ権利ニ属スルヲ以ツテ本件原告カ先ツ地所ヲ選択シ其不可分ニ対シ残余ノ建物ニ付キ全部ノ減殺ヲ請求セルハ相当ニシテ此点ニ関スル被告ノ抗弁モ理由ナシ」（金沢地判明四五月日不詳新聞八一五・二三）。

【77】「原告（遺留分権利者―筆者注）ニ於テ遺留分ヲ保全スルニ必要ナル限度ニ於テ目的物件ヲ選択シテ其返還ヲ求ム可キモノトス、……原告ハ本訴一定ノ申立トシテ被告義尾カ被告吉勝ヨリ贈与セラレタル前記第十二第十三ノ物件此価格合計六千九百五十九円八銭ヨリ減殺スヘキ部分ノ割合ヲ金額ヲ以テ表示シタルニ止マリ目的物件ヲ選択シテ其返還ヲ求ムルモノニアラサルヲ以テ原告ノ請求ハ此点ニ於テモ亦排斥セサル可ラス」（名古屋地判大五・六・二〇新聞一一七〇・二八）。

【77】は、ただ、遺留分権利者に選択権があるとするにとどまらず、選択して請求すべきであるとする。

【78】目的物不動産中、三筆の原野を指定して返還を請求したのに対して、相手方の抗弁を排斥。

「而シテ本件ニ於ケルカ如ク贈与ノ一部ニ付キ減殺ヲ請求スル場合ニ目的物カ数個存スル時ハ権利者タル

被控訴人ハ減殺シ得ヘキ部分ノ目的物ヲ適宜選択シ以テ其返還ヲ請求シ得ルモノト解スルヲ相当トスレハナリ」(東京控判大一〇・六・二二九評論一〇民法六二三)。

最後に、比較的最近の下級審判決に同旨のものがある。

【79】「原告(遺留分権利者—筆者注)が本訴でした減殺請求の効力について考えるのに、凡そ贈与の一部につき、減殺請求権を有する場合に目的物が数個あるときは、権利者は減殺すべき部分の目的物を適宜選択して減殺を為し得るものと解すべく」(前橋地判昭三二・六・六下級民集八・六・一〇七〇)。

【51】を除けば、すべて権利者に選択権があり、任意に目的物を定め、返還請求しうるとしており、なかんずく【77】は、権利者の側で選択せずして、減殺の割合だけ示した請求を認めていない。また、権利者の側で任意選択し、請求したのに対し、相手側で争れず、判決中には争点としてあらわれていないが、そのまま認められているものもみられる【70】。

ゆえに、大体において選択権は、権利者にあり、従つて、請求にあたつては、選択権に基づいて目的物を特定して請求すべしというのが、判例の態度とみてよいであろう。これに対して、中川教授は【70】の評釈にあたつて鋭い批判をなげかけておられる。「私は、部分的減殺に於いて、その目的物を特定する権能は減殺権者にないと考へる。減殺は現物返還を本則とはするけれども、元来相続人の利益さへ保護されればその趣旨の大半は達せられるのであり、必ずしも現物返還でなければならぬ訳のものではない。さればこそ民法も受贈者、受遺者に価額弁償の選択を許してゐるのである(民一〇四一条)。故に、前例(甲乙各一町歩の田地二筆のみを有する者が、その二筆ながらを他人に贈与した後死んだという例)についていへば、相続人が甲地の返還を欲してその部分に関する贈与を減殺しようとしても、受遺者は価額だけを弁償して甲地の返還を免れることも出来るのである。もしまた受贈者が甲地の返還を欲せず乙地を返還せんとしたならばどうなるであらうか。甲地を還へせといふ相続人の意思が、乙地を還そうという受贈者の意思に当然優先すると結論する根拠はどこにもなからう」と。

民法上現物返還主義が一応の建前となっているが、事実上は価値返還主義に転換し遺留分は価値（貨幣）となってしまっていることは前述した。とすれば、中川教授御指摘のごとく、目的物の選択権が権利者にあるとする根拠はない。彼は、その価値に相当する物（現物か貨幣かは別として）を手に入れれば足りる。判例は、価値返還主義に逆行する態度といえよう。もっとも、旧法時代には、相続財産の家産的性格が、このように遺留分権利者に対して遺産に対する一種の優先的地位を与えたと解しうる。しかし、少なくとも、新法下においては遺留分権利者に選択権を与える理由は考えられないのである。この点について、もっともよき解決策を中川教授（【70】評釈）が提起しておられる。教授は、共有分割の請求をなすべきであり、裁判所に目的物を決定せしめるという方法を主張しておられる。贈与二分の一の減殺というのは、甲乙両地が分量的に半分だけ取消され、そしてその部分の所有権が当然に減殺者に移転し（減殺請求権の形成権＝物権的構成）共有状態を生じ、そして遺留分権利者は第二段として共有分割の請求をなすべきであるとされるのが御主張の骨子である。非訟事件的に目的物を裁判所に決定させるという方法は、共同相続人間では遺産分割の形で帰属関係を決定する方法に対比すべき合理的解決方法であろう。しかし、論理的には、常に共有物分割の請求によるべしとするには無理があろう。上述の理論構成を前提とすれば、遺留分権利者は、すべての目的物(一個の処分行為の対象となつた)について共有の登記を請求するという方法も認めなければならないであろう。これも、一種の目的物の選択であり(【51】はかかる請求を排斥したもの)、又、第二段として共有物分割が問題となり、訴訟経済的にみても問題があるが、論理的考察を別としても、共有物分割までの経過的措置として共有状態の登記を請求する訴えを容認してよいであろう。

(ロ)　次に、一個の不可分なる目的物が贈与・遺贈され、その一部が遺留分を侵害している場合に、遺留分権利者はどのような請求をなしうるか。

古くは、減殺請求権者は目的物の全部の返還を請求し、遺留分を害しない部分を金銭をもって返還すべきであるとした【80】。

贈与の目的物たる家屋(四〇〇円)を五〇円の割合で減殺するケイスで、

【80】　「減殺権ハ遺留分ノ保全ニ必要ナル限度ニ於テ之ヲ行ハサルヘカラサルハ民法第千百三十四条ノ明定スル所ナルヲ以テ目的物カ可分ナルトキハ保全ニ必要ナル限度ヲ超越シタル減殺ノ請求ハ不当ナルコト論ヲ俟タスト雖モ目的物カ不可分ニシテ然カモ其一部ヲ減殺スヘキ場合ハ右ノ理論ヲ絶対ニ貫徹スル事ヲ得ズ蓋シ我民法ハ遺留分減殺ノ場合ハ受贈者又ハ受遺者ヲシテ現物ヲ権利者ニ返還セシムルヲ原則トス而シテ目的物カ性質上不可分ナルトキハ之ヲ分割シテ其一部ヲ返還セシムル事アタハサル故ニ斯ル場合ハ其目的物ノ全部ヲ返還セシムルハ却ツテ減殺請求ノ本旨ニ適合スルモノト解スルヲ相当トスレハナリ唯此場合ニ於テハ之レカ為ニ遺留分権利者ヲシテ不当ニ利得セシムル事能ハサルカ故ニ権利者ハ其超越部分ニ対スル価格ヲ返却スル事ヲ要スルニ過キス」(金沢地判明四五月日不詳新聞八一五・二三)。

しかし、ごく最近の東京地裁判決【81】は、かかる請求を斥け、共有関係を認めることが現物返還であるとした。

【81】「なる程目的物が不可分であれば之を分割してその一部を現物を以て返還せしめることは出来ない。しかし之を遺留分権利者と受遺者又は受贈者の共有にすることは、法律に禁止規定のない限り、如何なる財産権についても可能なのであつて、減殺の結果斯る共有関係を生ぜしめることも法律上は正に現物を以てする返還に外ならないのである」(東京地判昭三四・五・二七判時一九〇・二八)。

【80】を支持する学説もあるが(近藤・相続下一一七〇頁、中川編・注釈下二三七頁(島津))、【81】をもって正しとすべきであろう。その理由は、判決理由中につきている。明治末期の【80】には、遺留分財産の家産視がみられる。たとえ現物返還主義にたつても、現物返還をここまで拡張することは過ぎたることである。共有関係を認めることで十分である。新法下では当然の結論といえよう。

(四)　取戻(引渡拒絶)財産の相続財産性

限定承認・財産分離に際して、これら財産が、相続債権の引当てとなるという意味において、換言すれば、責任の面から相続財産であるとする点についてはほとんど争いがない(序説参照)。しかし、一遺留分権利者が取戻した財産は、その者の個人所有に属し、相続財産として共同所有の関係は成立しないとするのが従来の学説である(中川監・注解四五八頁、我妻＝有泉・民法Ⅲ四四八頁)。遺産分割後においては、共同所有関係は解体したあとであるから、共同財産とならないことは疑いない。しかし、遺産分割前、まだ共同所有関係が存在している場合はどうであるか。旧法時代は単独相続が原則であつたから、かかる問題を生ずる余地はほとんどなかつた。しかし、新法下では共同相続が原則であり、しかも、共同相続人の一人に対して遺贈ないし贈与がなされている場合には、遺産分割の前提として、減殺請求権の行使がなされる。もし、従来の学説のごとく解するならば、その部分については、個人財産として遺産分割の対照から排除されてしまうこととなる。このことは錯雑した関係をまねき、かつ、合理的な遺産分割の審判をさまたげる。次の審判【82】は、この面での相続財産性をみとめている。

【82】「次に本件のように全遺産を包括的に遺贈した場合に遺留分権利者が減殺権を行使した場合に減殺請求により取消された遺贈対象は減殺権を行使した相続人の財産に帰するのであるのか、或は相続財産に還元されるのかということが問題となろう。殊に既に履行済みの遺贈或は生前贈与については、それが減殺権を行使した者に帰属し、その数額は訴訟手続により決定するということが、職権審理による審判手続よりも容易であろうし、或は旧民法はその趣旨を前提として立法されたものと思われる。

けだし審判手続による場合には、困難な負債総額を決定しなければならないのと、且それらは弁論主義によりなされれば、格別、職権審理により審判手続では容易に決定できる筋合のものではないからである。

しかし反面遺留分による減殺請求の結果それは当該相続人に帰属するということになると共同相続においては減殺権者が数人あるのであるから、若し受遺者受贈者の仲に無資力の者がある場合に偶順序として、その者に対して減殺請求権を行使せざるを得ない相続人は非常に不利になる。

従つて減殺された遺贈贈与はいずれも相続財産となり、それについて減殺権を行使した者の間において遺産分割するを相当とする。従つて一人が減殺した後に他の遺留分権利者が遺産分割に割込みたいときには、次順位にある遺贈贈与を減殺し、前に減殺権を行使した相続人により回復せられた遺贈贈与と合せて、分割するを相当とする。

若し又本件のような遺贈の未履行の場合には、減殺権の行使は遺産分割となるものと解する」（福島家審昭三七・四・二〇

家裁月報一四・一〇・一七〇）

四　減殺請求権の時効

減殺請求権について、特別の短期時効の規定が存在し、遺留分権利者が相続の開始および減殺すべき贈与又は遺贈があったことを知った時から一年、相続開始の時から十年を経過すれば時効によって消滅する（民一〇四二、明民一一四五）。これは、減殺請求権の時効であって、遺留分権のそれではない（福島「遺留分制度の法理と判例㈢」民商二一巻八―一〇号四七頁）。従って、一つの遺留分権から派生する減殺請求権の時効の進行が一致しないことがある（【87】【88】参照）。

（一）　性質　ここでの「時効」の性質であるが、これが文字通り消滅時効を意味するのか、それとも除斥期間なのかについて学説上意見が分かれている。多数説は一年については時効、十年については除斥期間と解している（穂積・相続㈡四四四頁、中川・大要三一六頁、中川監・注解四七〇頁以下、我妻＝有泉・民法Ⅲ四四六頁、青山・相続二六八頁）。しかし、両者ともに時効であるとする学説も多く（近藤・相続下一一八一頁、福島・相続二二七頁、谷口「遺留分」一九三頁、なお、川島教授は、一年については時効と明言されるが（後述）十年については不明である。民法Ⅲ二一四頁参照）、逆に、両者とも除斥期間とする学説もある（中川・注釈下二七六頁（山中）、柚木・判相四二八頁）。減殺請求権を形成権と解すれば、形成権は単独の意思表示（裁判外、裁判上をとわない）で、その効力を完成しうるのであるから、時効の中断ということは考えられず（我妻・総則三四二）、従って、問題はその効果として発生する財産返還請求権なのである（川島【90】評釈）。短期「時効」の規定の適用のあるのは、形成権としての減殺請求権のみであって、その効果たる財産返還請求権は一般の十年の時効にかかるとする考え方は短期時効の趣旨からみておよそ問題とならない。むしろ逆に、一〇四二条の「時効」にかかるのは、財産返還請求権なのであって、形成権たる減殺請求権でないことは川島教授の御指摘のとおりである（【90】評釈なお、請求権説にたてば、このことは当然である）。問題はこの「時効」が消滅時効か、それとも除斥期間かである。十年については、学説は大体において除斥期間と解しているが、本条の趣旨からみてこのように解すべきであろう。問題は、一年の方であり、逆に時効と解する学説が多い。あくまでも、法律関係の早期安定という理想を貫けば、時効の中断のありうる消滅時効よりも除斥期間と解することとなろうが、遺留分問題は、実際上は親族間に生ずることが多く、いきなり出訴という方法をとるよりも、裁判外の折衝によること多く、殊に、共同相続人の一人に処分行為がなされている場合には、遺産分割の問題の一要素として、協議・調停・審判というコースをたどるのであるから、除斥期間と解することは遺留分権利者にとって酷であり、消滅時効と解するのが妥当であろう。

（二）　本条の適用範囲

(1)　古く、減殺請求権の時効期間について民法七二四条（不法行為の時効期間）の適用を当事者が主張したのに対して、民法一一四五条（民一〇四二）を適用するとの当然の事理を述べている判決がある。

【83】　「被控訴人ハ民法第七百二十四条ヲ援用シテ本訴請求権ハ既ニ時効ニ係リ消滅シタルモノヽ如ク主張スレトモ遺留分侵害ハ被控訴人死亡当時其所有財産ガ寡少ナルトキ始メテ生スルモノニシテ民法第七百九条以下ニ規定セル不法行為トハ大ニ其趣ヲ異ニシ随テ減殺請求権ニ関スル時効ハ同法第千百四十五条ニ之カ規定ヲ存スル所以ナレハ右七百二十四条ヲ本件ノ場合ニ適用セントスル被控訴人ノ抗弁ハ採用スルニ足ラス」（大阪控判明三八・一〇・一二新聞三二七・一〇）

(2)　現行法上すでに意義を失ったが、隠居財産の留保の減殺請求権の消滅時効も一一四五条によるとされた【85】【86】。隠居財産の留保が当然無効ではなくして、減殺請求権の対象となるとするからには（【40】参照）当然である。

もっとも、最初に姿をあらわした一下級審判決【84】は普通の十年によるとした。

【84】「民法第一一四五条ニ規定セル一年ノ時効ハ遺贈若クハ贈与ニ対スル減殺請求権ニ特ニ規定シタルモノニシテ留保財産ニ対スル同請求権ニ付テハ同条ノ適用ナク右請求権ハ普通ノ十年ノ時効ニ罹ルヘキモノ故右原告ノ抗弁ハ之ヲ採用セス」（長野地小松支判大九・六・二評論一〇民法六三一）。

しかし、その後まもなく大審院判決【85】は一一四五条を適用するとした（本判決は、留保財産も減殺請求権の対象とするものであり【40】、右には、ここに関係する判文のみを掲げる）。

【85】「従ヒテ留保ノ場合ニ於テモ其ノ減殺請求権ハ又民法第千百四十五条所定ノ一年ノ時効ニ罹ルモノト解スヘキハ当然ナリ」（大判大一二・四・二七民集二・二五七、穂積・判民四八事件）。

更にこれを踏襲するものとして【86】がある。

【86】「而シテ斯ル減殺請求権ニ付テモ民法第千百四十五条ノ規定ノ適用アルモノナルコト当院ノ判例（大正十二年(オ)第二〇八号同年四月十七日第一民事部判決参照）トスル所ニシテ右判例ハ今之ヲ変更スルノ必要ヲ見ス然ラハ原判決カ所論ノ抗弁ヲ排斥シタルハ正当ニシテ論旨ハ理由ナシ」（大判昭四・一・二二民集八・六、穂積・判民二事件）。

㈢　時効の起算点

(1)　受遺者・受贈者に対する減殺請求権の時効の場合　時効の領域で、もっとも判例の集中しているのは「減殺すべき贈与又は遺贈があったことを知った時」（民一〇四二、明民一一四五）とはいつをさすかという点である。

この問題についてのリーディングケイスたる明治三八年四月二六日大審院判決は、贈与の存在を知つただけではたりず、その贈与の減殺すべきことを知つたことを要するとした。本判決では、二つの減殺請求権の時効の進行が問題となつているので、別々に紹介することとする。

まず、債権贈与の減殺請求権の時効が問題とされている。

【87】 遺留分権利者X（原告・（二審不明）・被上告人・附帯上告人）は、別箇の請求として被相続人AがY（被告・上告人・附帯被上告人）のなした不動産売却行為（債権贈与の相手方）が虚偽表示であるとして売買無効を主張しており、これと、債権贈与の減殺請求との間に、もし、売買契約が無効であれば遺留分を侵害せず（不動産は相続財産を構成する）、逆に有効であれば、債権贈与が遺留分を侵害するという関係にある。このような債権贈与の減殺請求権の時効の進行について、原審は、不動産売買登記無効の請求が係属中は、時効は進行しないとした。上告審はこれを支持した。

「然レトモ民法第千百四十五条ニ所謂減殺スヘキ贈与アリタルコトヲ知リタル時トハ遺留分権利者カ単ニ被相続人ノ財産ノ贈与アリタルコトヲ知ルノミナラス其贈与ノ減殺ス可キモノナルコトヲ知リタル時ヲ指シタルモノナリ故ニ其贈与アリタルコトヲ知ルモ未タ相続財産ノ実額ヲ確知セサルカ為メニ其贈与ニ付キ減殺権アルコトヲ知ラサル場合ノ如キハ未タ同条ノ時効ノ進行ヲ始ムルコトナシ本件ニ付キ原院ノ確定シタル所ニ依レハ被上告人カ本件債権ノ贈与アリタルコトヲ知リタルハ明治三十四年中ナルモ当時被上告人ハ本件不動産ノ売買ヲ虚偽ナリト主張シテ上告人ヲ相手取リ争訴中ニ係リ其相続スヘキ財産ノ実額ヲ知ラス従テ本件債権ニ付キ減殺権アルコトヲ了知セサリシ事実ナレハ原院カ其当時未タ右減殺請求権ノ時効ノ進行ヲ始メサリシモノト判定シタルハ当然ナリ」（大判明三八・四・二六民録一一・六一一）。

【88】 XがA・Y間の不動産売買を不相当対価によるものとして減殺請求するが、当初Xは、前述したご

とく虚偽表示により無効であると主張していた。この点については、原審は不動産の売買登記取消の訴訟は同一の目的物たる不動産売買に関し減殺請求権の時効の進行を妨げないとした。Xは附帯上告。上告審は原審判決を破毀した。

「原審ニ於テ被上告人カ本訴提起前本件不動産ノ売買ヲ被相続人タル亡夫ト上告人ト相通シテ為シタル虚偽ノ意思表示ト確信シ上告人ニ対シ該売買登記取消ノ訴訟ヲ為シタル旨ヲ主張セシコトハ原判文ニ引用シアル第一判文ノ事実摘示ニ徴シ明白ナリ若シ果シテ被上告人カ該売買ヲ虚偽ノ意思表示ト確信シ右訴訟ヲ為シタリトセハ同人ハ真実ノ売買ノ無カリシコトヲ信シタルモノニシテ其訴訟提起ノ当時売買ノ有リシコトヲ知リタルモノト謂フヲ得サルヤ論ヲ俟タス故ニ前示上告人ノ主張ニ反スル事蹟存セサル限リハ同人カ右訴訟提起ノ当時該売買ノ成立ヲ了知シタル事実ヲ認ム可ラス従テ本件不動産売買スル減殺請求権ノ時効ハ右訴訟提起ノ当時ヲ以テ起算点ト為スコトヲ得サルナリ」（大判明三八・四・二六民録一一・六一一）。

次いで【89】は、相続人が被相続人の生前に同人と第三者との間になされた不動産売買を仮装であり、その実贈与であると主張して登記抹消請求の訴えを提起、敗訴した事実があつても、売買無効を請求原因とするときは、右の主張をしたことをもつて、相続人が贈与のあつたことを知つていたとすることはできないとし、前記大審院判決の趣旨に沿つた。

【89】　「控訴人ハ叙上減殺請求権ハ本訴提起前既ニ時効ニ因リ消滅シタリト抗弁スルヲ以テ其時効期間ノ起算点即チ被控訴人ノ右贈与事実ヲ知リタル時期ニ付之ヲ按スルニ（第一）控訴人ハ被控訴人カ明治四十三年十一月中控訴人ニ対シ右贈与不動産ニ付登記抹消請求ノ訴（以下之ヲ第一訴訟ト称ス）ヲ提起シ其口頭弁論ニ於テ寅松ト控訴人間ノ売買ハ仮装ニシテ其実贈与ナルコトヲ主張シタルカ故ニ被控訴人ハ既ニ此時ニ於テ寅松ト控訴人間ノ行為ノ贈与ナルコトヲ確知シタルモノナリト主張シ而シテ被控訴人カ寅松ト控訴人間ノ

売買ハ仮装ニシテ其実贈与ナリト云ヒシコトハ乙第一号証ニ依リテ明カナルモ前叙贈与ニ付キテハ寅松控訴人ノ両名相通シテ売買名義ニ仮装シ置キタルモノナルコト甲第一号証ニ徴シ明白ナルニヨリ局外者タル被控訴人ニ於テ前顕地所贈与行為ノ成立後幾ラモナクシテ第一訴訟ヲ提起シ其口頭弁論ヲ為スニ当リ其行為ノ本体ニ付真相ヲ看破スルハ容易ノ業ニ非サルノミナラス乙第一号証ニ依レハ被控訴人ハ初メ同訴訟ノ訴状ニ於テ右両人間ノ売買ノ無効ナルコトヲ請求ノ原因ト為シタルヲ認ムヘク又甲第一号証ノ一ニヨレハ被控訴人ハ其以後大正三年中即チ本件相続開始後ニ至リ更ニ控訴人ニ対シ前顕贈与ノ目的タル不動産等ニ付キ登記抹消請求等ノ訴（以下之ヲ第二訴訟ト称ス）ヲ提起シ該訴訟ニ於テハ被控訴人ハ右行為ハ売買ニ非ス又贈与ニ非スシテ虚偽ノ意思表示ナルコトヲ主張シタルコトヲ認メ得ルニ徴スレハ被控訴人カ第一ノ訴訟ニ於テ右両人間ノ行為ヲ目シテ贈与ナリトシタルハ畢竟被控訴人ノ謂フ如ク一応ノ推測ヲ開陳シタルモノニ外ナラスシテ其当時既ニ贈与ナリトノ信念ヲ有シタルモノニ非スト為スヲ妥当トス従ツテ第一訴訟ノ口頭弁論当時即明治四十三年十一月中既ニ被控訴人ニ於テ本件贈与アリタルコトヲ知リタリト為スヲ得ス（第二）控訴人ハ被控訴人ニ於テ遅クモ大正元年十二月二十四日ニ於テ前顕行為ノ贈与ナル事実ヲ知リタルモノナリト主張スレトモ其立証ニ供スル新乙一号証ニ依リテハ単ニ第一訴訟ニ付被控訴人敗訴ノ判決アリタル事実ヲ認メ得ルニ止マリ控訴人ノ主張ヲ肯定スルニ足ラサルヲ以テ到底之ヲ採用スルヲ得ス（第三）控訴人ハ第二ノ訴訟ニ付第一審盛岡地方裁判所ハ大正三年十二月十六日前顕行為ハ贈与ナリトノ理由ヲ以テ被控訴人ノ請求ヲ却下スル旨ノ判決ヲ言渡シタルヲ以テ被控訴人ハ遅クトモ此判決言渡シニ依リ贈与ノ事実ヲ知リタルモノナリト主張スレトモ甲第一号証ノ一ニヨレハ被控訴人ハ第二訴訟ノ第一審ニ於テ始終一貫シテ前顕行為カ虚偽ノ意思表示タルコトヲ主張シ居タルノミナラス控訴人ハ之ニ対シ名ヲ売買ニ藉リタル贈与ナル旨抗弁シタルモ之レ唯仮定ノ抗弁ニ過キスシテ第一ニ真正ノ売買ナル旨ヲ抗弁シ居タル事明カナルヲ以テ更ニ之レヲ乙第二号証ニ対照シテ考覈スルトキハ被控訴人ハ控訴人及ヒ寅松カ第一ノ訴訟ニ於テ何レモ売買ナルコトヲ主張シタリシヲ以テ之ヲ参酌シテ控訴人等主張ノ如ク真正ノ売買ニハ非スシテ虚偽ノ売買ナリトノ信念ヲ生シ茲ニ第二

訴訟ニ於テ前示ノ如ク虚偽ノ意思表示タルコトヲ主張スルニ至リタルモノナル事之ヲ窺知スルニ難カラサルヲ以テ第二ノ訴訟ニ付第一審ニ於テ縦令控訴人カ贈与ナリトノ仮定抗弁ヲ提出シ且其立証ヲ為シ又初審級ニ於テ被控訴人ノ主張ニ反シ贈与ナリトノ判決ヲ受ケタレハトテ被控訴人カ俄ニ其判決理由ニ承服シ叙上ノ信念ヲ翻シテ控訴人主張ノ如ク贈与ナルコトヲ知リタルモノトハ到底之ヲ肯定スルヲ得ス従ツテ該判決言渡ノ時即大正二年十二月十六日ニ於テ被控訴人カ贈与ナルコトヲ知リタリト為ス控訴人ノ主張モ亦之ヲ採ラス以上説明ノ如ク時効期間ノ起算点ニ関スル控訴人ノ主張ハ一モ之ヲ採用シ得サルニ反シ甲第一、二号証ニ依レハ第二訴訟ノ第二審ニ於ケル大正三年五月十一日ノ口頭弁論ニ至リテハ控訴人ハ第一審ニ於ケルトハ異リ明確ニ右行為ノ贈与ナルコトヲ答弁シ事実判断ニ付最終審級タル当院ニ於テモ亦同年十一月十三日被控訴人ノ主張ヲ排斥シテ控訴人答弁ノ如ク該行為ノ贈与ナル事実ヲ判定シ被控訴人ノ控訴ヲ棄却シタル事実明白ナレハ被控訴人ハ此判決言渡シニ依リテ其当時若クハ早クトモ右口頭弁論ノ時即大正三年五月十一日ニ於テ初メテ該行為ノ贈与ニ外ナラサル事ヲ知リ得タルモノト認ムルヲ相当トス然レハ則チ本件減殺請求権ニ対スル時効ノ期間ハ其時ヨリ進行ヲ始ムヘキモノナルニヨリ本件訴状ノ送達ニ依リ減殺請求ノ意思表示ヲ為シタルトキ即大正四年一月二十二日ノ以前ニハ未タ一年ノ時効期間満了セサルヲ以テ控訴人時効抗弁ハ其理由ナキモノトス」（宮城控判大五月日不詳 新聞一〇九八・二一）。

次に遺贈について同旨の大審院判決がなされた【90】。事件は【63】【73】と同一であるが、要するに、全財産の包括遺贈があつたにかかわらず相続人は相続登記をなし、第三者に譲渡した。遺言執行者が、登記の抹消を請求したのに対して、遺留分の減殺をもつて抗弁したという事案である。ところが、相続人は当初は（一審第一回の準備手続で昭和七年七月八日）遺言が無効であると抗弁していたのであつた、減殺請求の抗弁にきりかえたのは、控訴審の最後の口頭弁論の日、昭和一一年六月二五日であつた。遺言執行者は、昭和六年六月三日の第一回の親族会で遺言書が開封されたときに相続人は、減殺すべき遺贈があることを知つたのであるから、減殺請求権はすでに時効によつて消滅しているとした。原審は、相続人が準備手続以来、最後の口頭弁論にいたるまで遺言の事実を否認し、証拠をあげてきた事実、減殺請求の抗弁が遺言が是認される場合に備えるために提出された事実、第一回の親族会では遺言の真偽についてうんぬんされなかつた事実等から、相続人は減殺請求をだすまでは遺言が適法有効なることを知らなかつたものと認定するを相当とするとし、そして、遺言書の存在を知つていたとて、これにより直ちに相続人において本件遺贈が適法有効にして、減殺せらるべきものなることを了知していたと速断することはできないとした。

【90】「民法第千五百四十五条ニ減殺スヘキ遺贈アリタルコトヲ知リタル時トハ当該遺贈ヲ目的トスル遺言カ真正ニ成立シ其ノ内容カ遺留分ヲ侵スモノナルコトヲ認識シタル時ヲ意味スルモノニシテ遺留分権利者カ遺言書ノ作成アリタルコトヲ知ルモ开カ偽造ナルコトヲ信シ其ノ成立ヲ争ヒ仮定的ニ受遺者カ該遺言ニ基ク遺贈ヲ抛棄シタルコトヲ訴訟上ノ抗弁トシテ主張スルヲ以テ減殺スヘキ遺贈アリタルコトヲ知リタルモノトハ直ニ断スルヲ得ス然ラハ本件所論ノ如キ事実アレハトテ減殺シ得ヘキ遺贈アリタルコトヲ遺留分権利者タル被上告人重ニ於テ知リタルモノト解セサルヘカラサルモノニアラス従ツテ原審カ所論ノ如ク判示シテ被上告人重カ判示本件遺贈減殺ノ請求ヲ為ス迄ノ如キ遺贈ヲ知ラサリシモノト判定シタルハ正当ニシテ法律ノ解釈ヲ誤レル違法アルモノト謂フヲ得ス」（大判昭一三・二・二六民集一七・二七五、川島・判民一八事件、中川・総評三巻二八六頁、近藤・論叢三九巻二号三四六頁、岩田・新報四八巻七号一一六三頁）。

時効の起算点は、単に贈与又は遺贈を知つただけでなく、減殺請求しうべきことを知つた時であるとするのが判例の一貫した態度であり、ここに判例の態度は一応確定したといいうるであろう。

【87】にあっては、債権贈与の減殺請求がなされるまでは、別請求の不動産売買の無効が争われていた。もし無効であれば、それが遺留分権利者の相続財産を構成することとなり、債権贈与は減殺の対象とならない。有効であれば、相続財産を構成することなく遺留分を侵害する。債権贈与が減殺の対象となるかどうかはもっぱら、遺留分権利者の相続財産の実額、従って又、不動産売買の有効・無効の判断にかかることとなる。そこで、判旨は、遺留分権利者が不動産売買の無効を主張している限りは、彼は債権贈与が減殺の対象たることを知らず、時効は進行しないとするのである。【88】は理由の表面からみると【87】【90】とはすこし趣旨が異なるようにみられる。というのは、不当対価の不動産売買の減殺請求権（民一〇三九）は当初遺留分権利者が虚偽表示による売買無効を主張している限りは「売買ノ無カリシコト」を信じたるものであり、従って「売買ノ有リシコトヲ知リタルモノト謂フヲ得サルヤ論ヲ俟タス」とする。無効を主張している限り売買の無を主張しているのであるから、売買の存在を知ったことにならないとするわけであり、減殺権の存在を知ったかどうかのその前の段階の要件が具備しないとするのである。あえて、法律行為の不成立（不存在）と無効とは異なるというまでもなく、かかる論理に説得力のないことはいうまでもない。むしろ【87】と同じ論理で、無効を信じている限りは、減殺請求の対象たることを知らず、従って、減殺請求権の存在を知らないゆえに時効は進行しないといったほうがむしろ論理が一貫している。学説は、本判決をかかる意味をもつものとして評価している（中川編・注釈下二七五頁、中川監・注解四七一頁）。【90】は、【88】の事案と大体類似しており、遺留分権利者が当初から遺贈の無効を主張しているケイスである。減殺請求権の対象が遺贈であることと、減殺請求権の行使が抗弁

の形でおこなわれている（この点については後述一八二頁）点に相違がみられるが、【87】【88】の法理を踏襲している。

問題は、贈与・遺贈が減殺の対象であることを知っていることを要するとする点であるが、学説は、単に遺贈・贈与の存在を知っただけでは足りず、何らかの形・程度での減殺しうべきことの認識が要求せらるべきことを要するとすることでは大体一致している。しかし、その認識も主観的に遺留分権利者の心理に即して考えるのか、それとも、客観的な諸事情から認識可能性があれば足りると解するかということで、わかれる。判例は前者であることは明らかである（同説、近藤【90】評釈、谷口「遺留分」一九三頁、川島教授は立法論としては客観的事情を標準とすることが望ましいとされながらも解釈論としては判例の考え方に賛成される【90】評釈）。中川教授は【90】評釈で、判例の「考へをもつてすれば、贈与または遺贈の無効を争つてゐる間は決して時効が進行を始めないといふことになつて濫用の危険を充分に含んでゐる。遺言の有効を信じてゐる相続人でも、一年以上を経過した後に減殺を行はうと思へば、遺言無効確認の訴を起せばいいといふことにもなり兼ねない」と批判される（島津教授も同説である。中川監・注解四七一頁参照）。あまりゆるやかに解すれば、せつかくの短期時効の趣旨を失うおそれがある。そこで、二つの主張がなされている。一つは、一応判例の態度を是認した上で、真実侵害を知りたる時をできるだけ探究して決すべきとされる（中川・民法Ⅲ三四三頁（中川旧説とよぶ）、中川監・注解四七一頁（島津））。この考え方は、遺留分権利者の主観を問題とする点では判例と同一趣旨にたたれるわけであり、判例の考えにたつ限り当然の事理であろう。第二の考え方は、【90】の評釈で中川教授が、従来のそれを修正されたものである。教授は、民法の「知リタル時」とあるのは「知リ又ハ知ルヘカリシ時」と解すべきであるとされ、当然知つたはずであると思われる時から時効を進行せしむべきとされる。山中教授は、問題の遺贈・贈与がなされたことをその内容とともにに知り、かつ遺留分権利者がいつにても、その相続財産がどのようなものであるかを調査して、遺贈・贈与につき減殺請求権を行使するかどうかを決定しうる状態となつた時から、消滅期間が進行すると解すべきであろう（中川編・注釈二七五頁）とされる（そうでないと法に暗い遺留分権利者の減殺請求権の一年の消滅時効がなかなか進行せず、短期時効の趣旨に合致しないとされる）。中川説とほぼ同一の内容とみられるのであり、中川教授のいわゆる「知ルヘカリシ時」がより具体的に表現されていると解してよいであろう。要するに、中川・山中教授は当事者の主観を問題とされるのでなくて、その認識を可能ならしめる事情が存在する限り、主観的認識を問題としないで時効を進行せしめるべきだとされるわけである。

ところで一応仮に判例の見解（旧中川・島津説を含めて）を主観説と呼び、中川・山中説を客観説と呼ぶこととして、実際の訴訟における認定にあたつてどの程度の相違がでてくるであろう。たしかに、理論の表面においては、対立した内容をもつている。一方は認識を要求するのに対し、他方は認識可能性で足りるとする。しかし、主観説にたつたところで、結局は訴訟の過程において明らかにされた状況事実を基にして裁判官が心証を形成していくわけであり、中川教授のいわれる「当然知つた筈であると思われる時」に、裁判官としては、認識があつたと認定するのである（善意・悪意、故意・過失の認定と同じであろう）。しからざれば、自白なければ認識を認定し得ないこととなろう。心理的認識も結局は客観的徴ひようによつて認定され、認識ありとの心証が形成されるのである。認識の認定も認識可能性の認定も、実際問題としてはそれほど相違が生じないのではなかろうか。ただ、主観説は、認定にあたつて遺留分権利者に寛容であり、逆に、客観説は厳格となる傾向が生ずるであろう。しかし、抽象論の段階で論争することは、足が地についた議論とはいい難いであろう。問題は、どのような事実が、「減殺すべき贈与又は遺贈があったことを知った時」にあたると認定しうべき資料とすべきか、あるいは逆にどのような事実が認識を阻止する事実としてあげうるか、ということである。結局は、短期時効の趣旨と、減殺請求権者の利益を考慮した上で、裁判で具体的に個々的に決定されるべきだということとなろう。

ところで一般論はこの程度にして、裁判上どのようにして認定されているかを、個々の判決からみてみよう。すでに四つの実例【87】【88】【89】【90】がみられる。いずれも、遺留分権利者に寛容なる認定である。【87】はともかくとしても、【88】【89】【90】は、無効を主張しているからには減殺しうべきものだということを知らなかつたのであろう、もし知つておれば減殺請求したであろうという単純な考え方のように思われる。島津教授が、遺留分権利者が無効を信じていたかどうかを具体的に探求し、慎重に確定すべきであると主張しておられるが、そのとおりだと思われる(中川監・注解四七一頁)。しかし、この後にみられる【91】【92】【93】(【91】は、【90】の前である)は、いずれも、既述のものと異なり、時効の進行点を明らかにしており、しかも、一般論として従前の判例にしたがいながらも認識の認定にあたっては、ことに【91】【92】は、中川・山中説の志向される結論を示していることは非常に注目される。

まず、昭和九年九月一五日大審院判決(民集一三・一七九二)の原審において次のような認定がみられる。

【91】「被控訴人ハ本件不動産カ贈与セラレ登記手続ヲ了シタルコトハ既ニ大正十五年三月中又ハ昭和三年中又ハ昭和三年五月中控訴人ノ覚知シタルトコロナルヲ以テ減殺請求権ハ爾後一年ノ時効ニヨリ消滅シタルモノナリト抗弁スレトモ遺留分減殺請求権ニ対スル短期ノ消滅時効ハ遺留分権利者カ被相続人ノ財産ノ贈

与又ハ遺贈アリタルコトヲ知ルノミナラス其ノ贈与又ハ遺贈ノ減殺セラル可キコトヲ知リタル時ヨリ進行ス可キモノト解ス可キトコロ原審証人……ノ各証言及当事者間ニ於ケル原告森甚四郎本人ノ供述ニヨレハ控訴人及森芳子又昭和六年四月頃喜三郎ノ相続財産カ被控訴人等ノ所有名義トナリ居ルコトヲ聞知シ同年十二月二十五日頃訴外中矢盛英ニ依頼シテ調査セシメタル結果本件不動産カ亡喜三郎ノ全財産ニシテ売買名義ヲ以テ被控訴人等ニ移転セラレアルモ事実ハ贈与セラレタルモノナルコトヲ覚知シタルコトヲ推認シ得可キカ故ニ控訴人ノ減殺請求権ニ対スル一年ノ短期時効ハ昭和六年十二月二十五日ヨリ進行ヲ始メタルモノト謂フ可ク……」(民集一三・一八〇二)。

被相続人が全財産を売買名義で贈与したという事実で、一般論としては、消滅時効の起算点は贈与又は遺贈が減殺さるべきことを知った時より進行するとした上で、遺留分権利者が第三者をして実情を調査せしめた結果、贈与であることを知ったと推認できるとし、その時から時効を進行せしめている。実情を遺留分権利者が調査したという事実から、認識を認定しており、抽象論はともかく、この判決の認定は、山中教授の御主張の内容とほぼ一致している(もっとも、このように解しても時効は完成しておらず、このことが影響しているとも思われる)。

次に、昭和二五年四月二八日最高裁判決(民集四・四・一五二)の原審では次のように認定している。

【92】「控訴は、遺留分権利者たる債務者省吾に代位して、遺留分の減殺請求をする旨主張し、被控訴人は、右減殺請求権は時効によつて消滅している旨主張するのでこの点について考究すると民法第千四十二条によれば減殺の請求権は遺留分権利者が相続の開始及び減殺すべき贈与のあつたことを知つた時から一年間これを行わないときは時効によつて消滅するのであるが、記録によれば被控訴人が本件物件は全部亡夫辰市から贈与を受けたものであると主張したのは原審における昭和二十一年九月十六日の口頭弁論においてであることが明かであるから反証のない限り控訴人は遅くとも被控訴の右の主張によつて減殺すべき贈与のあつ

たことを知つたものと認むべく従つて減殺の請求はその後一年内にこれを行わなければならないのに控訴人は当審における昭和二十三年九月二十七日の口頭弁論において右減殺の請求をしたのであるから右は該請求権が時効によつて消滅した後になされたものであり爾余の点について審究するまでもなく失当なることが明かである」（民集四・四・一五九）。

全財産が第三者に贈与され、遺留分権利者の債権者が代位して減殺請求権を行使した事件であるが、当初被告（控訴人）側は、贈与を否認しており、第二審の口頭弁論において減殺請求をしたという事案であるが、本判決は原告（被控訴人）が第一審の口頭弁論期日に贈与を主張したときから、贈与の存在の認識が明らかであり、そして反証のない限り、減殺すべきであつたことも知つていたと認定している。

【91】より一段と、減殺請求者に厳しい態度がとられている（ここでは、時効は完成している）。贈与の存在の認識は、減殺すべきことの認識を推定せしめるとするのであるから、はつきりと初期の判例とはことなつた態度とみてよい（我妻＝唄・評釈、小林・評釈参照）。ことに、【88】【89】【90】は、無効の主張をしている間は認識はなかつたものとしているのに対し、ここでは贈与の否認の主張があつたにかかわらず、上述のごとき理由で時効を進行せしめていることが注目される。被告側は、そのために結局、贈与の否認に減殺請求の意思表示が包含されていると上告したわけである（【66】参照）。我妻＝唄評釈は、贈与を全面的に否認することは、その贈与の客体たる物件の帰属主体について争うことであり、本件の場合、遺留分を侵害する範囲内のものについて減殺を請求するという意思表示を含んでいたと解することはできないかとされ、減殺請求

に、方式の定めがないことから、肯定的に解し得ようとされる。しかし、この点は判旨のいうごとく【66】参照、贈与の事実の否認に、遺留分減殺請求という積極的な意思表示を含めしめることは無理であろう（谷口・評釈、小林・評釈）。

本判決は全体を通じて酷な印象を与える（我妻＝唄・評釈参照）。我妻＝唄評釈がかような解釈をされるのは、このような理由による。しかし、もとはといえば、原審の時効進行点の認定が、減殺請求者に厳しいという点にある（【48】も本判決の一部であり、全財産の贈与は九〇条違反で無効であるとするのであるが、この主張も、もとはといえば、原審で、減殺請求権が時効で消滅したと認定されたからに他ならない）。減殺請求者が、遺留分権利者そのものではなくして、他の債権者が代位行使しており、相手方が被相続人の妻であるという事情（谷口・評釈参照）が、かかる認定を行わせたのであろう。

次に【92】とは逆に贈与を遺留分権利者が否認していた間時効の進行を認めず、その訴えで敗訴し、判決が言渡された時から、時効が進行するとするもの【93】がみられる。【88】【89】【90】の系統に属するものといってよいであろう。

【93】　「原告が高次郎方に滞在していた昭和一八年一月中、偶々被告に対し本件各不動産の取得税の納税令書が送達されて来たのを見て、本件各不動産につき高次郎から被告に贈与に因る所有権取得登記の為されたことを知ったことは認められるが、原告がこの時において減殺すべき贈与のあったことを知ったと認むべき確証はなく、却って同号証及び当事者間に争のないところの原告が、昭和二二年一〇月被告を相手方として当裁判所に、右各不動産の所有権取得登記は真正に為されたものではないとの理由でその抹消登記申請手続請求の訴を提起した事実を併せ考えると、原告は前記の納税令書を見た当時は未だ真実本件の贈与があったものとは考えず、寧ろ右各登記が真正に為されたものでないとの確信をもち、そこで高次郎の死後前記出

訴に及んだものであることを認めることができるので、原告が右納税令書を見た時に、減殺すべき贈与があつたことを知つたとの被告の主張も亦認め難い。そして右訴訟は当庁昭和二二年(ワ)第一二九号事件として係属し審理の結果、昭和二六年一〇月三〇日、本件各不動産の贈与は真正に為されたものであるとの理由で原告敗訴の判決が言渡され、これに対して控訴を申立てることなく右判決が確定したことは当事者間に争のないところであるから、原告は右判決の言渡の時に本件の減殺すべき贈与のあつたことを知つたものと認めることを相当とし、従つて本件贈与に対する減殺請求権の時効はこの時より進行を始めたものと言うべきところ、原告の本訴遺留分減殺請求の訴の提起がその後一年内である昭和二七年一〇月一七日に為されたことは記録上明白であるから、原告の本件贈与の減殺請求権は未だその時効完成しないものであること言を俟たない」(前橋地判昭三二・六・六下級民集八・六・一〇七〇)。

(2)　受贈者が贈与の目的を第三者に譲渡した場合の譲受人に対する減殺請求権の時効の起算点は、減殺すべき贈与の存在を知つたときか、それとも受贈者・第三者間の譲渡を知つたときか。

【94】(【61】と同一事件、事案はこれにゆずる)の原審は前者と判断した。上告人は後者を主張した。

【94】「……時効の起算点に関する原審の判断は、……正当であり……」(最判昭三五・七・一九民集一四・九・一七七九、谷口・民商四四巻二号三二〇頁、谷田貝・法時三三巻二号九二頁、福地(陽)・神法一〇巻一号八四頁)。

減殺請求権の対象はあくまでも贈与そのものであり、譲受人に対する請求は減殺の結果生ずる財産返還請求権にもとづくものであること、目的物が転々流通した場合には、後説であれば、権利関係がいつまでも確定しないことを考えれば、判例の態度は正当である(谷口評釈)。

(四)　減殺請求権の行使が抗弁の形で行われる場合と時効

既述の【90】事件では、減殺請求権の行使は抗弁の形で行われている。判旨は財産返還請求権という積極的な形をとる場合と同じく、短期時効の規定の適用があると考えている。しかし、学説上、抗弁の形をとる場合には時効の規定の適用なく、常に、未履行遺贈・贈与の請求を拒みうると解するものが多い（【90】近藤評釈、川島評釈、谷口「遺留分」一九三頁、我妻＝立石・親族相続六五四頁、中川監・注解四七一頁(島津)）。本条が、法律関係の確定、取引の安全という目的に出るものであるから、積極的に財産返還請求権の形をとる場合のみ適用があるとするのである（谷口・島津）。あるいは、しからざれば、本条後段との関係上遺言を十年以上秘密にすることにより、容易に減殺を封ずることができるとされる（川島評釈）。それに対し、スイス民法五三三条のごとく、明文の規定で適用を除外しておればともかく、しからざる日本民法の解釈としては適用を認めるべきだとする学説（中川編・注釈二七六頁(山中)）もある。川島教授のいわれるいわゆる抗弁権永久性の法理適用の一つの場合である（民法講義九六頁）。

（五）　受贈者の側の贈与財産の取得時効

受贈者の側が減殺請求権の対象たる贈与の目的物を十年ないし二十年占有していた場合に、贈与目的物上に取得時効を認めるかという問題は、減殺請求権の性質とからめて判例は考えており、判例の態度はそこで説明した【58】【59】。判例が否定的に考えるのに対して、学説はむしろ逆である（中川監・注解四五八頁、谷口「遺留分」一九四頁、近藤・相続下一一二三頁、一一八八頁）。ドイツ民法（二三二五III）が、相続開始の当時贈与が十年を経過している場合には贈与を加算しないと、明文の規定で、贈与の目的物をめぐる法律関係の安定をはかっているのに対して、受贈者側に取得時効を認めることにより、同じ効果をねらったものといえよう。しかし、減殺請求権を形成権的に構成し、その効果を遡及せしめたところで、「他人の物の占有」（民一六二）はあくまでも、擬制的効果にしかすぎず、このような擬制的効果にたつて取得時効を認めるのは制度の趣旨ではあるまい。ドイツ民法と同じ効果は、一年前の贈与の算入・減殺の問題の側から解決していることはすでに述べた（六八頁参照）。更には、減殺請求権そのものの消滅時効の側から解決すべきである。

判 例 索 引

大審院判例

明35・6・27……… 102
明37・10・31……… 156
明38・4・26… 169,170
明41・4・21……… 103
明44・12・1……… 103
大4・6・2……… 103
大6・7・18（決）
…………… 20,25,118
大7・12・25…… 89,97
大10・11・29…………70
大11・7・6…………93
大12・4・17……… 104
大12・4・27……… 168
大13・月日不詳…… 120
昭4・1・22… 105,168
昭4・3・11……… 105
昭4・6・22…21,48,50
昭5・6・16……… 105
昭5・6・18…50,51,70
昭9・4・30…………29
昭9・9・15……50,53,84,121,144,177,178
昭9・11・10……… 109
昭11・6・17
…………… 55,58,122
昭12・12・21…… 58,59
昭13・2・26
………… 135,151,173
昭15・10・26…………90
昭19・7・31…21,59,61

最高裁判所判例

昭25・4・28
…… 109,138,178,179
昭29・12・24……… 109
昭32・9・19…………26
昭35・7・19
………… 103,126,181
昭37・5・29……… 110

控訴院判例

大阪明38・10・12… 167
東京明38・月日不詳
……………………… 117
宮城大5・月日不詳
…………………55,172
東京大10・6・29
… 28,97,119,158,161
東京大10・8・8
……………… 104,137
東京大12・11・24… 120
大阪昭6・12・23… 102
長崎昭8・11・29……71
東京年月日不詳…… 115

高等裁判所判例

仙台高秋田支部昭36・9・25……………35,46,64

地方裁判所判例

東京明41・月日不詳…20
金沢明45・月日不詳
……………55,160,163
水戸地下妻支部
大2・3・28………27
名古屋大5・6・20
……………33,118,160
長野地小松支部大9・6・2…………… 145,168
名古屋大9・7・2
……………………… 102
千葉大10・1・13
……………… 104,137
水戸地下妻支部
大11・3・28…… 133
東京昭5・5・14……38
前橋昭32・6・6
……………63,161,181
東京昭34・2・4
…………………19,142
東京昭34・5・27
……………31,123,164
富山昭34・11・20… 139
金沢年月日不詳…… 118

家庭裁判所審判

広島家呉支部昭33・12・26
…………… 71,79,107
東京昭35・10・4……30
福島昭37・4・20
……………… 138,165
松江昭37・7・10… 146

著者紹介

高木多喜男（たかぎたきお） 神戸大学助教授

総合判例研究叢書　民法(23)

昭和39年2月20日　初版第1刷印刷
昭和39年2月25日　初版第1刷発行

著作者　高木多喜男

発行者　江草四郎

東京都千代田区神田神保町2～17
発行所　株式会社　有斐閣
電話 (331) 0323・0344
振替口座 東京370番

堀内印刷・稲村製本

総合判例研究叢書 民法(23)
(オンデマンド版)

2013年1月15日 発行

著 者 高木 多喜男
発行者 江草 貞治
発行所 株式会社 有斐閣
〒101-0051 東京都千代田区神田神保町2-17
TEL 03(3264)1314(編集) 03(3265)6811(営業)
URL http://www.yuhikaku.co.jp/

印刷・製本 株式会社 デジタルパブリッシングサービス
URL http://www.d-pub.co.jp/

AG476

ISBN4-641-91002-2